UFO학 인류학과의 죠우

차례
Contents

새로움에 대한 열기, UFO를 찾아라

21세기라는 새로운 세기는 '새로움'이라는 담론이 지배하는 시대이다. 신세대에서 신인류, 신지식, 신사고, 신경영에 이르기까지 문화, 정치, 경제 등의 각 분야에 걸쳐 새로움을 강조하는 접두사로 선명하게 자리매김하고 있다. 그런데 새로움을 두드러지게 하는 이러한 표피적 현상 이면에는 '새로운 시대(New Age)'에 대한 강렬한 비전과 꿈이 도사리고 있다. 뉴에이지, 즉 새 시대라는 말은 역설적으로 현재의 삶이 불만족스럽고, 불행한 세기말적 분위기를 연출하고 있으며, 동시에 사람들로 하여금 지금과는 전혀 다른 현실, 새로운 현실을 동경하도록 유인한다. 이처럼 현대인을 사로잡는 '새로움'에 대한 매력은 종교적이며, 동시에 실존적 모티프를 가진 욕구이다. '새로움'의 추구는 종말론적 기대, 지상 낙원을 갈구하는 욕구, 암울한 현실에서 벗어나고자 하는 자유로움에 대한 갈망을 함축하고 있기 때문이다.

새로운 세기의 도덕적 불안과 물질적 풍요 속의 정신적 빈곤, 그리고 산업 사회 진전에 따라 돌연사가 증가하는 가운데 과학 만능주의가 한계를 드러내고 있는 작금의 상황에서 현대인들은 정신적인 공백기에 표류하고 있다. 사회현상 연구가인 팝콘(F. Popcorn)은 현대인들의 이러한 혼돈 상황을 '코쿠닝(cocooning)', 즉 누에고치 짓기라고 표현했다. 자신의 주위에 누에고치처럼 TV, 컴퓨터, 전화 등 모든 전자, 통신, 오락기기로 벽을 쌓아 스스로 외부와 단절하는 현대인들의 소외된 모습이 바로 그것이다.[1] 이러한 현 시대의 세기말적 카오스 상황에서 화려하게 탄생한 소위 뉴 에이지 사상은 '영혼의 허기'에 갈급해 있는 현대인들에게 성큼 다가서고 있다. 그 중에서도 정교한 과학적 미사여구로 무장한 'UFO학(Ufology)'[2]은 이 시대의 가장 강력한 커뮤니케이션 도구로서 모든 계층에 만연해 있는 '정신적 갈증'을 공략하고 있다.

UFO 신드롬

해외는 말할 것도 없거니와 국내의 UFO에 대한 뜨거운 열기를 대변하듯이 대형서점의 진열대에는 외계 문명 관련 번역 서적들이 우후죽순처럼 나타난 적이 있다. 이 책의 저자들은 대체로 외계 문명의 존재를 기정사실로 하고, 그들과 영적으로 접촉한 사람들의 이야기를 주로 다루고 있다. 그 내용은 지구 문명의 외계 기원설에서부터 외계인과 채널링(channeling)의 경험을 기록한 것, 무의식의 영역에 존재한다는 '아카식 레코드(The Akashic Records)'에서 보고 들은 내용을 기록한 것, 지구 안에 지하 문명이 존재한다는 주장 등에 이르기까지 다양하다. 지은이들은 한결같이 책의 내용이 '실화'라고 주장한다.

오프라인뿐만 아니라 온라인상에서도 UFO 관련 정보들이 넘쳐나고 있다. 2003년 6월 20일 현재 국내 인터넷상에는 100인 이상의 회원을 확보하고 있는 UFO 관련 사이트가 50-60개, 동호회가 20-30개에 이르고 있으며, 해외의 경우 UFO와 관련된 온라인 사이트의 수를 제대로 파악하기 힘들 정도로 많은 사이버 공동체가 활동 중이다.

최근 미국 CNN의 설문조사에 따르면 성인 남녀의 54%가 UFO의 존재를 믿고 있다는 결과가 나왔다.[3] 국내에서 왕성한 활동을 벌이고 있는 한 UFO 사이트에서 비공식적으로 실시한 투표에서 투표자의 약 86%(2002년 11월 14일 기준)가 UFO와 외계인의 존재를 믿는다고 응답하였다. 이 정도의 믿음이라면, 기성 종교들 중의 어느 한 종교를 믿는 신자들의 수를 훨씬 상회하는 많은 사람들이 UFO '교인'이라는 결론에 도달하게 된다. 어린이 방송 및 문화행사에서는 '외계인' 이벤트가 빠지지 않고 등장하고 있으며, 2002년 8월 국내 굴지의 모 문화기획사에서는 3개월에 걸쳐 뮤지컬 「UFO」를 성황리에 끝

낸 바 있다. 이 공연은 언어를 초월한 춤을 통해 인간과 외계인이 친구가 되는 과정을 다양한 댄스와 파워풀한 서커스로 표현했다. 이처럼 외계인을 소재로 한 문화행사를 아주 '자연스럽게' 유치할 정도로 우리 사회는 초첨단 과학이라는 마법의 주문으로 UFO를 열심히 착륙시키고 있는 셈이다.

UFO는 초자연적인 현상을 화려한 과학적 미사여구로 장식한 이 시대의 문화적 '상품'으로 볼 수 있다. 1997년 7월 첫째주에 IUFOMRC[4] 주최로 로스웰(Roswell)에서 비행접시 '추락'[5](아래 사진들) 50주년을 기념하는 다채로운 UFO 문화행사가 일주일 동안 벌어졌다. 강연회, 연극 영화제, 가족축제, '추락현장' 견학, T-셔츠 판매, 타임캡슐 묻기 등으로 이루어진 문화 이벤트에는 다양한 연령층이 참여하였다.[6]

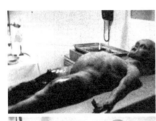
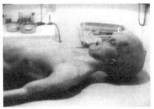
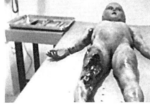

로스웰에 추락사한 '외계인들'(?)의 시체부검장면
(이 필름의 진위에 대한 논란이 많다).

특히 빼놓을 수 없는 UFO 문화상품으로는 외계인을 소재로 한 미국 할리우드 영화들이다. 1982년 상영된 「E.T. *The Extra Terrestrial*」는 유니버설 스튜디오의 대표작이자 스티븐 스필버그를 할리우드 최고의 흥행감독으로 부상시킨 영화다. 미국에서는 영화 「E.T.」의 탄생 20주년을 맞아 2002년 3월 21일 재개봉한데 이어, 국내에서도 2003년 4월 5일 관객들을 다시 만났다. 또 다른 외계인 소재 영화는 1996년 엄청난 흥행 성공을 거둔 「인디펜던스 데이 *Independence Day*」(1996)이다. 그 이후 새로운 시대적 요구에 자극받은 미국의 메이저 영화사들은 일제히 외계공간으로부터 온 존재에 관한 영화들을 잇달아 내놓

'천국의 문' 신도들이 생각한 천국에 사는 외계인의 모습.

았다. 외계인과의 한판 농구 시합을 소재로 삼은 「스페이스 잼 *Space Jam*」(1996), 화성에서 온 외계인들이 겉으로 평화를 원한다고 말하면서 의원, 정치가 등의 지구인들을 살해하는 내용을 담고 있는 「화성침공 *Mars Attack*」(1996), 외계인의 자취에 대해 연구하는 과학자가 어느 날 우주로부터 메시지를 받는다는 내용인 「콘택트 *Contact*」(1998) 등은 그 대표적 예들이다.

서구인들 사이에는 이러한 종류의 UFO 문화상품의 소비가 극히 일반화되어 있다.[7] 이 '상품' 전략은 기성종교에 식상한 현대인들의 입맛을 겨냥하고 있다. 그런데 문제는 여기에 관한 인식과 관심이 일시적인 호기심을 만족시키는 정도에 불과한 것이 아니라 하나의 숭배교를 형성한다는 것이다. 1997년 3월 26일, 미국 캘리포니아 주 샌디에이고 북부 랜초 샌타페이의 한 호화저택에서 헤일-봅(Hale-Bopp) 혜성의 뒤를 따라오는 UFO에 의한 구원을 기대하며 39명의 '천국의 문(Heaven's Gate)' 사이버 광신도들이 집단 자살한 사건이 일어났었다.[8] 또한, 국내에서도 이미 이러한 '종교적' 움직임이 심상치 않게 진행되고 있다.

UFO는 과학, Cargo는 주술?

    카고 컬트(荷物儀禮, Cargo Cult)의 핵심은 이 세상이 종말을 고하고 새로운 세상이 열릴 때 천상의 온갖 진귀한 물건을 가득 실은 하물(Cargo)과 함께 자기의 조상들이 이 땅에 다시 나타난다는 믿음이다. 이 땅에 사는 원주민들과 하늘에 사는 조상들 사이에는 거대한 새(남태평양에서는 배의 개념이 투사된 것임)가 있어 심부름꾼의 역할을 한다. 조상들이 거대한 새에 여러 가지 좋은 물건들을 잔뜩 싣고 나타난다는 의미에서 '하물의식' 또는 '하물운동'이라는 이름이 붙여지게 된 것이다.

    나는 이 책을 통해 남태평양의 카고 컬트와 서구의 UFO 현상에 투사된 인간의 보편적 욕망 및 '원형적'9) 욕구를 들추어내고 싶다. 우선 두 지역을 대조·비교한 배경에 대해서 짤

막하게나마 언급할 필요성이 있겠다. 남태평양의 원주민이라 했을 때 연상되는 표상은 이들의 원시적이고 주술적인 삶일 것이다. 반면 서구인이라는 이미지는 이성적이고 무척 합리적인 삶을 영위하는 사람들이라고 생각하게 된다. 이것은 우리가 일상적으로 쉽게 범하는 편견의 오류이다. 아직도 우리의 의식체계가 서구 발전사관의 테두리에서 벗어나지 못했다는 증거이기도 하다. 정말 오지의 남태평양 원주민들은 주술적인 사고로 세상을 순진하게 바라보는 '자연인'이고, 서구인들은 과학적 사고로 자신의 주변을 한 치의 오차도 허용함이 없이 정확하게 관찰·예견하는 '문명인'인가? 이 글이 궁극적으로 노리는 효과는 주술과 과학이라는 '허울'을 넘어서 존재하고 있는 인간 본연의 욕구, 갈망을 드러내고자 하는 데 있다. 남태평양인은 '주술'이라는 도구로, 서구인은 '과학'이라는 외피로 자신들 안에 숨겨져 있는 욕망을 표현하고 있는 것이다. 코넬 대학 천문학 교수였던 칼 세이건(Carl Sagan)이 『브로카의 뇌 Broca's Brain』에서 밝힌 UFO에 대한 생각은 상당히 시사하는 바가 크다.

UFO에 대한 사람들의 관심은 적어도 어느 정도는 충족되지 못한 종교적 욕구의 결과로 보인다. 외계인들은 종종 현명하고 권능을 지니고 우호적이며 인간의 모습으로 묘사되고 가끔 흰색의 긴 의상을 입고 나타나는 것으로 보고된다. 그들은 신들이나 천사들과 매우 흡사한데, 천국에서 오

모형수송기를 만들어 카고를 기다리는 남태평양 원주민들.

는 것이 아니라 다른 행성에서 날개 대신 우주선을 타고 오
는 것이 다를 뿐이다. 거기에 약간의 의사(疑似)과학적 요소
들이 깔려 있긴 하지만 신학적 내력이 존재함은 명백하다.
많은 경우에 UFO 탑승자들은 약간의 위장과 현대화된 형상
이지만 결국 그들이 신들임을 쉽게 알 수 있다. 실제로 최근
영국에서의 여론조사에서 외계인들의 방문에 대한 믿음을
갖는 사람들이 신의 존재를 믿는 사람들보다 많은 것으로
나타났다.(Sagan, 1979, p.66)

엘처링가(Alcheringa)10)와 카고

"우리들은
카고를 가득 실은 수송기가 도착할 것이라고 굳게 믿
는다.
천국에 사는 우리 조상들이 카고를 만들어 보내는 것이다.

그런데 백인들은
우리의 카고를 중간에 가로채 주인행세하고 있다.
큰 활주로를 만들어 약탈한 카고를 착륙시키고 있다.
이제 우리는
우리의 활주로를 직접 만들자.
그리고 춤추며 기다리자.
곧 우리 조상들은 백인의 술책을 알아차리고
카고 수송기를 우리가 만든 활주로에 착륙시킬 것이다.
그러면 우리의 삶은 행복하게 될 것이다."

(카고 컬트의 신도)

　　남태평양의 근세사는 한마디로 백인에 의한 약탈사였다. 식민지의 활로가 트이자 유럽인들이 집단적으로 남태평양 제도에 정착하기 시작하였는데, 경제적인 이해관계로 이주를 결심한 범죄자, 도주 선원, 탐험가 등이 이들 중 다수를 차지하였다. 서구 정착민에 의한 일방적 교류가 가속화되면서 남태평양의 원주민 사회는 엄청난 정치·사회·문화적 격동기에 접어들었다. 그리고 유럽인들이 촉발시킨 부족 간의 전쟁, 전염병, 알코올 중독의 폐해, 플랜테이션 경영에 따른 노동력 수급문제로 식민지화에 의한 접촉 후유증은 극에 달했다. 이러한 혼란기에 서구 선교사들은 왕성한 선교활동으로 많은 주민들을 개종시킴으로써 강력한 세력을 확보하였다. 남태평양 원주민들은 남녀노소를 불문하고 이전 이름을 버리고 새로운 세례명을 갖게 되었으며, 전통 종교의식 대신에 일요예배에 참여하게 되었다. 교회는 매주 신도들로 들끓고, 사제는 교육받은 원주민으로 충당되기도 하였다. 이즈음 백인 선교회와 식민지 정부를 겨냥한 '심상치 않은' 소문이 나돌기 시작하였다. 백인에 의해 오염된 세계를 종식시키고자, 잠자고 있었던 조상들이 다시 깨어나 생명의 하물을 적재한 배와 함께 이 세상에 귀환한다는 것이다. 조상들이 돌아오고 배로부터 하물이 내려지면 낙원의 시간, 신화의 시간, 태초의 시간, 영원의 시간, 즉 엘처링가가 마침내 이 지구상에 실현된다는 것이다. 바로 카고 컬트의 탄생이다.

엘처링가를 갈망하며

카고 컬트는 19세기 말 남태평양의 전 지역에서 시작되어 오늘날까지도 간헐적으로 진행되고 있는 천년왕국운동(millenium movement)이다. 이 카고 컬트는 기원, 전개, 발전 상황에 따라 그 양상을 달리하고 있지만, '천년왕국의 도래'라는 보편적인 종교적 모티프를 공유한다. 남태평양식 서사구조로 표현하자면 머지않아 천상의 선물(Cargo)을 가득 실은 새(배나 비행기의 모양으로)가 조상들(신화적 존재)과 함께 이 지구상에 찾아온다는 것이다. 천년왕국운동은 사회·문화적 격동기에 어김없이 등장하는 종말론적 증후군이다. 서구식민지 활동으로 야기된 위기의 시대에 남태평양인들은 세계의 종말과 동시에 천년왕국을 기다린다. 이들이 꿈꾸고 또 건설하고자 시도하는 완전한 사회, 즉 낙원의 비전은 언젠가 세계의 종말이 올 것이라는 종말론과 연관되어 있다. 치유할 수 없는 최악의 상태로 오염된 현존하는 사회는 '태초의 시대, 지복의 시대, 새로운 시대(Alcheringa)'의 도래로 종말을 맞게 될 것이며, 불사(不死)와 영원이 죽음과 역사를 대체할 것이라 갈망한다.

카고 컬트는 엘처링가에 대한 남태평양 원주민의 원초적 욕망과 갈망을 잘 헤아린 천년왕국운동이다. 전통적 가치와 정체성의 상실로 인해 생겨난 절망감에서 엘처링가의 도래를 갈망하게 된다. '젖과 꿀이 흐르는 땅'은 사후 세계에 위치한 것이 아니라 바로 이 지상에 존재한다. 즉, 그것은 바다 저편에 존재[11]하는 것으로 조상들(신화적 영웅)이 인간을 찾아와 이 낙원으로 직접 그들을 인도해 준다. 이곳은 조상신들이 살고 있는 장소이며 두려움, 배고픔, 죽음을 알지 못하는 피난처이다.

피지인이여, 내 말을 믿으라. 우리의 창조신화가 진짜 '성경'임을……

1875년 남태평양의 피지제도에 투카(Tuka)[12]라는 카고 컬트의 움직임이 시작되었다. 이 새로운 컬트의 예언자이자 주창자는 엔둥구모이(Ndungumoi)라고 불리는 중년의 피지 원주민이다.[13] 엔둥구모이는 전통종교 제사장 가문을 잇는 의례에서 나보사바칸두아(Navosavakandua)[14]라는 칭호를 부여받는다. 나보사바칸두아는 피지의 최고 심판관을 지칭하는 원주민 용어로, 최상의 권위와 생사를 주관하는 힘을 상징한다. 엔둥구모이는 나보사바칸두아로서 신도들의 자발적인 헌신과 흠모를 한몸에 받으며 강력한 카리스마를 행사한다.[15]

엔둥구모이는 환시를 통해 성경의 새로운 '진실'을 알게 되었다고 주장한다. 그에 따르면 태초에 여호와(Jehova)와 엔덴가이(Ndengei)라는 두 신이 있었다. 여호와는 엔덴가이에게 진흙으로 사람을 만들라고 명령하였다. 이 일이 실패로 돌아가자 여호와가 직접 나서서 진흙으로 남자와 여자를 차례로 만들어 이들에게 생명을 불어넣었다. 그러고 난 후 그는 엔덴가이를 추방하고 지상에 사람들이 살 터전을 마련했다. 그는 영생의 끈을 이어주고자 사람들에게 하늘 높이의 집을 지으라고 명령하였다. 이때 사람들은 숙련된 기술을 요하는 연장으로 집을 짓고, 자신들이 접하는 모든 사물들에 일일이 이름을 붙여주었다. 이러한 명명 작업을 통해 오늘날 수많은 언어들이 생겨나게 되었다. 마침내 천상에 맞닿는 집이 완성되자, 큰 잔치가 벌어졌다. 잔치상에는 땅에서 바로 캐낸 타로, 얌(온대, 아열대에서 자라는 참마(屬)의 구근식물), 바나나로 가득 메워졌다. 여호와가 그들 사이에 서서 "가서, 각자의 삶의 터전을 찾아라!"고 하자, 사람들은 얌, 타로, 바나나 종자를 들고 떠났으며, 곧이어 섬은 사람들의 자손들로 번창하였다.[16] 이상의 내용이 엔둥구모이가 설파하는 창조신화이다. 그는 자신의 주술적 능력으로 이러한 신화의 비전을 얻은 것이며, 이를 토대로 백인에게 유리하도록 왜곡된 성경을 자신이 바로잡아야 한다고 주장한다. 엔둥구모이는 스스로를 이적행위와 환시를 통한 정확한 예언능력을 지닌 하늘의 사자라 선언함으로써, 자신이 설파하는 종교적 교의가 진실하다고 역설한다.

조상신이 오시면 꿈은 이루어진다

카고 컬트의 지도자들은 조상신의 귀환과 함께 생명과 풍요를 약속하는 천년왕국이 도래할 것이라 주장한다. 투카 컬트의 지도자인 엔둥구모이에 의하면 나티리카우몰리(Nathirikaumoli)와 나카우삼바리아(Nakausambaria)라는 쌍둥이 형제신과 조상들이 타고 오는 배가 도착하면 백인들이 지금까지 의도적으로 은폐한 성경적 '진실'이 백일하에 드러나게 된다. 엔둥구모이가 내세우는 창조신화에 따르면 신과 원주민 공주 사이에서 태어난 이 쌍둥이 신은 최고신인 뱀신 엔덴가이가 총애하는 비둘기를 살해한다. 엔덴가이의 노여움을 산 이들은 피지 섬에서 추방되어, 배를 타고 유랑생활을 하다 백인들의 땅에 도착하였는데, 이 사건을 후세 백인들이 성경의 기록으로 남겨 두었다는 것이다. 나티리카우몰리와 나카우삼바리아라는 쌍둥이 형제의 이름은 '여호와(Jehova)'와 '예수(Jesus)'라는 이름으로 대체되었다고 한다. 엔둥구모이는 환시를 통해 추방된 이 쌍둥이 형제들이 머지않아 피지인의 조상들과 함께 배를 타고 돌아와 '새로운 왕국'을 건설할 것이라 예언한다. 그들이 돌아오기 전에 우주의 대재난이 일어나 백인들은 이 땅에서 사라질 것이며, 예언자에 반감을 가졌던 원주민들은 노예가 된다.[17]

　엔둥구모이 외에도 남태평양의 카고 컬트 '메시아들'은 머지않아 조상(신)들이 생명과 풍요의 하물을 배에 싣고 귀환한다는 이 '기쁜 소식'을 신도들에게 다양한 버전으로 설파하였다. 맘부(Mambu)라는 예언자는 뉴기니아의 항구도시인 보기아(Bogia)에서 카고 컬트를 결성하여 자신만이 아는 '비밀'을 설파한다. 그에 따르면 하물을 싣고 올 원래 조상들은 마남(Manam) 섬의 거대한 화산에 살고 있는데, 그들은 여기에서 후손들에게 줄 물건들을 만들고 있다. 이 물품의 목록에는 유럽인들이 소지한 쇠 다리미, 사냥용 창, 옷, 성냥 등이 포함되어 있으며, 이 목록의 물건이 다 만들어지면 배에 실어 뉴기니아로 보내진다. 그러나 이러한 물건의 전달이 지금까지 백인들의 방해로 순조롭게 진행될 수 없었다고 한다. 배가 도착하면 백인 선원들이 나타나 하물에 적힌 원주민의 주소를 지워버리고 백인 주소로 바꿔치기 하거나 혹은 조상들이 직접 진귀한 물품들을 싣고 뉴기니아에 도착하면 숨어 있던 백인들이 이 하물을 약탈하였다. 따라서 배의 모든 하적물들이 백인들의 손에 넘어가게 되어, 원래의 주인에게로 돌아 갈 수 없다는 것이다.[18]

카고 컬트의 신도들에게 조상신의 귀환은 지상낙원의 건설을 의미한다. '새로운 왕국'의 도래와 함께 조상들은 후손들과 함께 살고자 돌아오며, 이때 모든 사람은 죽지 않고 영원히 청춘으로 살게 된다. 영원한 생명과 환희는 믿는 자들에 대한 보상물이다. 신도들은 황금시대를 맞게 되며, 고래(古來)로 꿈꾸어 왔던 그들의 천년왕국에 발을 들여놓게 된다. 늙은이는 회춘하고, 상점은 진귀한 유럽산 물품으로 가득 차 넘치고, 믿지 않는 자들은 죽어서 지옥의 불로 고통을 당하거나 믿는 자들의 노예가 된다. 식민지 관료, 선교사, 상인들(모두 백인)은 깊숙한 대양으로 던져지거나 원주민들의 하인이 되고, 식민지 정부에 아부하며 살아왔던 추장들은 신도들의 노예로 전락하게 된다.

조상님이여, 어서 오소서

카고 컬트의 예언자들은 빼앗긴 하물을 되찾고 조상들의 귀환이 원활하도록 특별한 준비와 조직이 필요하다고 주장하며, 이에 따라 조상의 영접을 위해 종교적 예식을 수행하고 종교 공동체를 결성한다. 즉, 카고 '메시아'들은 추종자들을 규합함으로써 천년왕국의 도래를 준비할 조직을 결성한다.

멜라네시아의 카고 컬트 '메시아'인 사키(Saki)는 말한다.

"곧 우리 조상들이 오게 된다. 그들은 많은 하물을 가지고 온다. 우리는 질병, 배고픔, 두려움에서 벗어날 것이다. 나를 따라 하물이 도착하도록 준비하자."

우선 피지제도의 투카 컬트를 예로 카고 컬트 조직의 특성과 그들의 활동, 즉 예식행위를 살펴보고자 한다. 엔둥구모이는 믿음으로 굳게 무장된 소수 정예신도들을 선택한 뒤, 이들을 피지 전 지역으로 파견함으로써 기독교로 개종한 수많은 피지인들을 투카 컬트로 끌어들이고자 한다. 이 소수의 추종자들은 투카 컬트의 중요한 요직을 차지하는데, 유럽의 군대식 명칭에 따라 '병사(soldiers)', '하사(sergeants)'의 위치에 배치된다. 최고 직급의 명칭은 '파괴하는 천사(destroying angels)'이다. 신도들은 영국식 군호령에 따라 일사불란하게 움직이도록 훈련받으며, 교주는 군대의 최고 통치자의 예우로 환대받는다. 그들의 '군대식' 사열은 원주민의 전통 춤과 혼합된 특성을 보인다.[19]

투카 컬트의 신도가 되기 위해서는 일정한 예식을 거쳐야

멜라네시아의 카고 컬트 '메시아', 사키(Saki).

한다. 예비신자는 일정한 금액의 헌금을 회사하고 난 후 생명의 샘에서 흘러나온 영생의 성수(聖水)를 받을 자격을 얻는다. 투카 신전 안에서 진행되는 예식은 전통 의례와 혼합되어 진행되는데, 카바 의례, 춤, 기도, 군 훈련, 재화분배의 절차로 이루어진다. 이 예식을 주도하는 엔둥구모이는 신도들에게 자신이 지은 죄를 회개하고 간절히 기도하여 곧 당도할 쌍둥이 형제신이 탄 배의 영접을 준비하라고 호소한다. 입문 예식 중에 성스러운 물이 담긴 병을 손에 넣게 되면, 투카 컬트의 정식 신도가 되는 '세례식'을 성공적으로 마치게 된다. 영생의 물을 얻고자 삽시간에 투카 신전으로 구름 떼처럼 몰려든 엔둥구모이의 추종자들 중 많은 수가 이 투카 컬트의 입문식 도중에 이적현상을 보았으며, 신이 천상에서 신전 안으로 강림할 때 동반한 피리 소리를 들은 자도 많았다고 한다.[20]

1885년 식민지 정부는 이 투카 컬트의 예사롭지 않은 행보에 눈길을 돌리기 시작하였다. 엔둥구모이는 쌍둥이 형제와 조상이 배를 타고 귀환하는 날과 새로운 천년왕국이 도래하는 정확한 시간을 선포하기에 이르렀다. 엔둥구모이는 쌍둥이 형제와 조상들이 육지에 당도할 때 바칠 제물로 백인을 상징하는 백돼지를 사육함으로써 식민지 정부와 선교사들에게 노골적으로 적대감을 표현하였다. 사태의 심각성을 감지한 식민지 당국자들은 엔둥구모이와 그의 '파괴하는 천사'들을 긴급 체포하여 섬으로부터 추방하였고, 마침내 이 종교공동체는 와해되었다.[21]

   뉴기니아의 카고 컬트 주창자인 맘부는 신도들에게 천년왕국의 도래를 엔둥구모이와는 다른 방식으로 준비시켰다. 맘부는 신도가 되는 조건으로 원주민들이 백인과의 관계를 종식시킬 것을 요구한다. 원주민들은 백인들이 제공한 모든 일거리를 포기해야만 맘부의 추종자가 될 수 있었다. 조상들이 조만간 생활필수품을 가득 싣고 오기 때문에, 모든 곡식과 열매들을 지금 당장 추수해서 다 먹어 치우고, 모든 가축도 도살하여 먹도록 했다. 산을 개간하거나 밭을 일구는 일도 그만두도록 했다. 또한 매년 식민지 정부에게 내던 인두세를 이제는 맘부에게 헌납해야 하며, 이때 백인들에게 세금을 '흑인왕'에게 납부한다고 분명히 말할 것도 요구되었다. 식민지 관료뿐 아니라 선교사와의 관계도 거부할 수 있어야 신도가 될 수 있다. 선교사들이 지은 학교나 교회를 다녀서도 안 되고, 그들로부터 세례를 받아서도 안 된다. 맘부는 만약 누군가가

이러한 준칙과 강령을 진지하게 받아들이지 않고 의심을 품는다면 조상신의 노여움을 사게 되어, 하물의 수송이 지연될 수밖에 없다고 역설하며, 자신의 교의를 따를 것을 강력히 요구하였다. 신자로서의 규범을 철저히 지킬 때, 조상신이 하물을 적재한 배를 타고 직접 뉴기니아의 가와트(Gawat)라는 해변 마을에 온다. 조상신이 도착하면 해안이 갈라지고 육지에 있는 맘부의 집 앞까지 하물이 운반될 것이라고 하였다. 맘부는 이를 증명하기 위해, 조상들이 그에게 비행기와 배로 직접 보내온 것이라 설명하며 쌀과 생선을 신도들에게 나누어주기도 하였다.[22]

남태평양의 존 프룸(Jon Frum) 컬트 신도들은 빈 캔과 철사로 모형 라디오를 만들어 '메시아'의 귀향 소식을 듣는 흉내를 내거나, 활주로에 조그마한 나무 모형비행기를 착륙시키는 예식을 가졌다. 배가 정박할 수 있도록 부두를 만드는 의례도 있었다.[23] 팔리아우(Paliau) 컬트 추종자들은 개인 소유물 모두를 바다에 던져 버리고, 교회에 모여 기도를 하며 조상들의 도착을 준비하였다.[24]

이러한 모든 행위들은 백인에게 약탈된 하물을 되찾고 천년왕국의 도래를 준비하는 종교적 예식이다. 카고 컬트의 예언자들은 천년왕국이 저절로 찾아오는 것이 아니라고 강조하면서 엄격한 종교행위를 요구한다. 즉, 신도들은 영웅의 계시가 담긴 신화를 경건하게 따르고, 모든 세속적인 활동을 중단함으로써 지고한 행복으로 가득 찬 유토피아를 앞당기고자 주

럭해야 한다. 이 지상에서 유토피아로 이르는 길은 험난하기 이를 데 없다. '예언자'는 이 '길'에 대한 전문가이다. 그는 자신의 부족민을 경이로운 여행길로 안내하는 '신'으로부터 '계시'를 받은 자이다.

뉴 에이지와 UFO

　　운동으로서의 뉴 에이지의 등장은 '신지학협회(神智學協會, Theosophical Society)'로부터 유래한다. 이 협회는 1875년 뉴욕에서 러시아 출신의 헬레나 페트로브나 블래바츠스키(Helena Patrovna Blavatsky)에 의해 창설되었다. 삼대 회장이었던 엘리스 베일리(Alice Bailey)가 계시에 의해서 작성했다는 문서는 '플랜(Plan)'이라는 이름으로 오늘날까지 뉴 에이지 운동의 기본 지침서가 되고 있다. 1980년 이 협회의 회원인 마릴린 퍼거슨이 쓴 『물병자리의 음모』는 현재 뉴 에이지 운동의 목표를 제시하는 길잡이다. 여기에는 산양－인마－전갈－천칭－처녀－사자－큰게자리－쌍둥이－황소－백양－물고기－물병자리 순으로 12개의 별자리가 소개되는데, 현재 우리의 시대는 물고기자리의 시대로 규정되어 있다. 물고기자리의 시대는 그리스도 시대와 동일시되고, 서기 2015년에 도래할 시대는 물고기자리 이후에 오는 물병자리[25] 시대이다.

물병자리

물병자리는 고대 이집트·바빌로니아에서는 성스러운 물병을 넘쳐흐르는 물의 상징으로 여겨온 만큼 고대 농업국가에서는 매우 중요한 별자리였다. 그리스 신화에서는 제우스신의 시동(侍童) 가니메데가 메고 있는 보배로운 병의 모습으로 나타나 있는데, 흘러넘치는 물이 별들의 점렬(點列)을 따라서 남쪽 물고기자리의 크게 벌린 입으로 흘러 들어간다.

이처럼 새로운 시대에 대한 불안과 카오스적 시대정신을 품고 태어난 뉴 에이지 운동은 '영혼의 빵'에 굶주려 있는 서구 현대인들에게 성큼 다가서고 있다. 그 중에서도 정교한 과학적 언어로 무장한 UFO 운동은 이 시대의 가장 강력한 커뮤니케이션의 도구로서 모든 계층에 만연해 있는 '정신적 갈증'을 공략하고 있다.

물고기자리.

25

'뉴 에이지'를 갈망하며

"무엇보다도 중요한 단 하나의 일은 빠른 시일 안에 대
사관을 짓는 것이다……가장 시급한 일은 우리들의 창조자
들이 요청한 대사관을 세우는 일이며, 엘로힘이 모세, 예수,
석가, 마호메트 등 고대의 예언자들과 함께 올 수 있도록 그
들을 맞이할 준비를 하는 것이다. 이것이 내가 지구상에 존
재하는 유일한 이유이다. 또한 이것은 나를 돕고자 하는 모
든 사람들이 살아가는 진정한 이유가 되어야 할 것이다."

(UFO 컬트의 한 예언자)

오늘날 서구 사회는 어려운 시기에 직면해 있다. 신이 사라
져버린 삭막한 사막의 외로움과 세속적 세계의 무의미성에 괴
로워하기 시작하였다. 중세의 신비주의적 교리는 이성적 합리
주의에 익숙한 서구인의 취향에 더 이상 맞지 않고, 기성 종교
또한 변화된 세상을 신속히 따라잡지 못하는 그 구태의연한
세계관 때문에 이들에게 더 이상 의지할 장소를 제공하지 못
하고 있다. 좌절과 슬픔 그리고 비참함의 시대는 '새로운 시
대'를 갈망하게 한다.

'새로운 시대'에 대한 서구인의 종교적 열망과 종말론적 기
대는 사실 오랜 역사를 지니고 있다. 15세기 말의 콜럼버스는
항해를 하면서 자신이 지상 낙원에 가까이 다가가고 있음을
확신하였다. 그는 페리아(Peria) 만에서 발견한 시원스런 물줄

기가 바로 에덴 동산에서 발원하는 강줄기에서 갈라져 나온 것이라고 믿었다. 지상 낙원을 찾는 일은 콜럼버스에게 있어서 단순히 무지몽매한 뱃사람의 환상이 아니었다. 유명한 항해자 콜럼버스는 식민지 발견에 종말론적 의미를 부여했다. 이 신세계는 그에게 복음 전파의 활로를 열어주는 새로운 대륙 이상의 의미를 함축한다. 타락과 범죄로 가득 찬 유럽이라는 구대륙이 신세계의 등장으로 드디어 '임종의 시간'을 맞이하므로, 신세계를 발견했다는 사실 자체는 종말론적 의미를 띠게 된다. 콜럼버스는 복음이 이 세계의 가장 먼 끝까지 전파될 것이라는 예언이 가까운 장래에, 즉 세상의 종말 이전에 실현될 것이라고 굳게 믿었다. 『예언서 *Book of Prophecies*』라는 그의 저서에서 콜럼버스는 세계의 종말에 앞서 새로운 대륙의 정복과 이교도들의 개종, 그리고 반그리스도 세력의 파멸과도 같은 일련의 전조가 발생할 것이라 확신했다.[26]

구대륙의 지축을 근본적으로 뒤흔들고 변화시켰던 이 대양 횡단 탐험과 식민지 발견은 메시아적이고 묵시론적인 분위기에서 진행되었다. 콜럼버스는 자신이 암울한 시대의 등불로 신에게 간택된, 특별한 사명을 부여받은 자라 확신하였다. "하느님은 나를 새 하늘과 새 땅의 사자로 삼으셨다. 이는 그가 예언자 이사야의 입을 빌려 말한 후 성 요한의 계시록에서 다시 언급했던 바이다. 그리고 이제 하느님은 내게 그 새 하늘과 새 땅을 찾을 수 있는 장소를 보여주셨다." 아메리카 대륙의 식민지화는 이처럼 유토피아적이며 종말론적 전조 아래에서 전개되었던 것이다. 유럽인들은 그리스도교 세계를 전복·재생시켜야 할 시점에 왔다고 믿었다. 지상 낙원으로의 복귀, 성스러운 역사에로의 회귀 또는 성서에서 예언된 놀라운 사건들의 실현이 진정한 재생이라 믿고 있었다. 당시의 문학과 설교, 서간이나 논문 등이 지상 낙원에 대한 열망과 종말론적인 암시로 가득 차 있었던 것은 바로 위와 같은 이유에서이다.[27]

콜럼버스를 필두로 올려진 근대의 서막이 서서히 닻을 내리고, 서구 사회는 '새로운 시대'로의 채비를 갖추기 시작한다. 예전에 지상의 낙원으로 여겨졌던 곳은 모두 식민지가 됨으로써 철저히 세속화의 길을 걷게 되었다. 이제 이 지상에서 유토피아를 꿈꾸고 실현시킬 곳이라고는 어디에도 없다. 전 지구로 확산된 환경오염과 대기오염 등은 지구가 죄악과 타락으로 물든 단적인 징표인 것이다. 지상의 대재난을 피해 서구의 탐험가들은 대기권을 가로질러 탈(脫) 지상 낙원을 탐색하기 시작하였다. 이제 지구의 부분이 아닌 전 지구의 전복과 재생이 불가피하게 된 것이다. 500년 전의 콜럼버스가 그러했듯이, 이 새로운 시대의 '전도사'들은 우주식민지로 항해의 길을 떠나기 시작하였다. 이들이 항해 중 발견한 것이 바로 UFO라는 우주선(船)이다. 서구인들은 이 거대한 우주의 새(배)가 자신을 새로운 세계, 즉 어머니 혹성으로 안내해 줄 것이라고 굳게 믿고 있다.

UFO 컬트는 바로 이러한 대세기말 유토피아에 대한 인간의 원초적 욕망과 갈급을 극적으로 충족시킨 천년왕국운동이다. 이 낙원은 죽은 후가 아니라, 현세에 발견할 수 있는 곳이다.[28] 그곳은 이미 성서에서 예언한 '젖과 꿀이 흐르는 땅'이며, 아담이 살았던 절대적 시원(始源)의 세계이다. 새로운 밀레니엄을 약속한다는 서구의 뉴 에이지 사상이 '아담'이 살았던 원초적 시간으로의 복귀를 함축하는 것이라면, 이것은 남태평양의 카고 컬트에 나타나는 엘처링가의 '본질(essence)'과 상당부분 일치한다. 남태평양의 원주민에게 있어서도 새로운 시대를 맞는다는 것은 자신들의 '조상이 살았던 태초의 시간(illud tempus)'으로 귀환하는 것을 의미하기 때문이다.[29]

백인들이여, 내 말을 믿으라. 우리의 과학신화가 진짜 '성경'임을……

독일 태생인 빌리 마이어(Billy Meier)는 1950년대부터 현재

이 사진은 1975년 플레이아데스 성단으로부터 온 외계인의 허락 하에
빌리 마이어가 찍은 것이라고 한다(이 필름의 진위에 대해선 논란이 많다).

에 이르기까지 UFO 컬트 예언자의 대부로 알려져 있다. 그는 1942년 5살의 어린 나이에 UFO를 직접 목격했다고 주장한다. 그후 스파트(Sfath, 1944~1953)와 아스켓(Asket, 1953~1956)이 라는 고도로 진화한 외계인들로부터 영적인 교의(敎義)를 전수받은 뒤, 플레이아데스 성단(칠성별)에서 온 아름다운 여인 셈야제(Semjase, 1975~1986)와의 접촉으로 지구 인류의 진실된 창조역사를 완전히 밝혀낼 수 있게 되었다고 한다.[30] 셈야제의 조언에 따라 1976년 빌리 마이어는 이들 외계인으로부터 전수받았다고 하는 방대한 양의 영적인 지식과 교의를 지구인에게 전달하기 위해 'FIGU SSSC'라는 활동단체를 만들었다. FIGU는 'Freie Interessengemeinschaft für Grenz- und Geisteswissenschaft und Ufologistudien임'의 약자이며, '경계-정신과학 및 UFO학을 위한 자유공동체'라는 뜻을 가지고 있다. 이 공동

플레이아데스 성단에서 온 '아름다운 여인', 셈야제의 초상화(빌리 마이어의 기억에 근거하여 그렸다고 한다).

체의 업무가 진행되는 장소의 이름은 SSSC(The Semjase Silver Star Center)로 불린다. FIGU의 핵심간부들은 업무를 분담한다. 이들 중 일부는 현재까지 빌리 마이어가 플레이아데스에서 온 외계의 방문객들과의 만남에 관해 적어 놓은 1만 페이지가 넘는 『컨택트 노트』를 출판하는 일에 종사하고, 어떤 이들은 빌리 마이어의 대중강연을 섭외·준비하는 일을 맡으며, 또 어떤 이들은 전세계로부터 오는 편지들에 답장을 하거나 혹은 이 센터의 운영경비를 충당하기 위해 자발적으로 인근의 직장을 다닌다.[31]

빌리 마이어에 따르면 기원전 2천 2백만 년에 최초의 라이라인들이 지구로 와서 식민지를 건설하였는데, 이들 중 14만 4천 207명은 지구에 정착하여 실험을 통해 지구인들의 유전적 특질을 변형시켰다고 한다. 그후 기원전 1만 6천 년에 지구의 아틀란티스와 '무(Mu)' 사회를 파괴하고자 외계인들이 침입하였는데, 그 외계인들 중 유능한 과학자였던 셈야자(Semjasa)가 동물들과 저급한 지구인들을 재료로 삼아 유전적 혼합물들을 만들어 냈다. 그는 새로운 지구인을 '창조'하는 과정에서 다양한 형태의 인간들을 만들어 냈다고 한다. 실험을 하던 중, 에바(Eva)라 불리던 한 지구 여성과 고도로 진화된 고령의 한 라이라인의 염색체가 결합되어, 보다 지성적인 지구 남성 한 명이 만들어졌다. 셈야자는 그를 아담(Adam)이라고 불렀다. 라이라어로 아담은 '지구인'을 의미한다. 아담은 금발의 푸른 눈에 키는 4.8m 정도였다. 실험이 잘 진행되자 셈야자는 다시 한번 시도하여 다른 아담(이번에는 여성)을 만들었다. 이 두 아담은 인간의 진보를 가능케 한 존재로, 지구의 원주민들보다는 라이라인들에 가까웠다고 한다. 두 아담의 진화가 성공하였을 때 그는 연구를 위해 이들을 살려두기로 하고, 여러 해 동안 두 아담의 존재를 비밀에 붙였다. 그들이 자라나 성인이 되었을 때 그는 그들에게 서로 성적 관계를 맺게 하였다. 이것이 빌리 마이어가 전하는 아담과 이브의 전설이다.[32]

빌리 마이어 이외에도 국제 '라엘리안(빛을 가져오는 인간)' 운동협회의 창시자인 클로드 보리롱 라엘은 인류기원에 관해 또 다른 과학적 비전을 제시하였다. 그는 1973년 12월 13일 아몬드형 눈에 작은 키의 외계인을 만난 후, 그로부터 새로운 성경적 '진실'을 전수 받았다고 한다. 이것을 『진실의 서』로 출간하였고 여기에서 창세기, 노아의 대홍수, 바벨탑, 소돔과 고모라, 아브라함의 제물에 관해 진실을 밝혀내고, 성경의 왜곡된 기록을 바로 잡을 수 있게 되었다고 주장한다. 창세기 제1장 1절의 '태초에 하느님께서 하늘과 땅을 지어내셨다'라는 구절을 두고 외계인은 클로드 보리롱 라엘에게 다음과 같은 '진실'을 전했다고 한다.

"성서에서 하느님(God)으로 잘못 번역되고 있는 엘로힘 (ELOHIM)은 히브리어로 '하늘에서 온 사람들'을 의미하며 복수형으로 되어 있습니다. 이 구절은 우리들의 세계로부터 온 과학자들이 그들의 연구를 실현시킬 수 있는 가장 적합한 혹성을 찾았다는 것을 의미합니다. '지어내셨다'는 본래 '발견했다'는 말로 실제로 그들이 지구를 발견하고 대기의 조건이 자신들의 혹성과는 같지 않았지만 인공적인 생명을 창조하는 데 필요한 모든 요소를 갖추고 있음을 확인했다는 뜻입니다."[33]

클로드 보리롱 라엘에 따르면 우리가 창조주 하느님으로 알고 있는 구약의 엘로힘은 신적인 존재가 아니라 지구 태양계에서 약 1광 년 떨어진 곳에 사는 '하늘에서 온 사람들', 즉 우주인들이다. 이 '하늘에서 온 사람들'은 이미 오래전에 생명체를 합성하는 실험에 성공하였으며, 언제라도 생명을 창조해낼 노하우를 소유하고 있다. 하지만 윤리적인 문제에 부딪혀이 실험은 성사될 수 없었고, 영원불멸의 존재인 야훼는 생명창조작업을 다른 행성에서만 허용하였다. 어느 날 지구의 한 유전공학 실험실의 책임자인 루시퍼와 그의 부하들이 야훼의 명을 거역하고 임의로 자신들과 똑같은 모습과 지적 능력을 가진 지구 인류를 창조한 다음 그들과 결혼했다. 이런 사실을 알게 된 '불사회'의 회장 야훼는 루시퍼 실험팀을 지구에 유배조치를 취했다가, 지구인을 대홍수로 없애버리겠다는 약속을 받고 이들을 다시 사면하였다. 대홍수로 인한 절멸의 시간이 지구에 닥쳤을 때, 루시퍼는 우주선으로 인간 몇 명을 포함한 자신들의 창조물들을 보존해 놓았다. 그후 얼마 되지 않아 야훼는 자신의 조상들도 우주인의 실험실에서 창조되었다는 사실을 알고 생명창조작업을 모든 행성에 전면 허용하였다. 이로써 루시퍼가 보존해 놓은 지구생명체는 지구에서 다시 번 창하게 되었다고 한다.[34]

   UFO의 예언자들은 인간의 창조를 과학적인 실험의 결과로 설명함으로써 그들의 교의를 과학에 관한 담론 속으로 끌어 들인다. 이들은 과학의 이름으로 그 진실성을 확보함으로써, 과학의 시대를 사는 사람들에게 그들의 교의에 대해 신뢰감을 심어 주고자 한다.

외계인이 오면 꿈은 이루어진다

UFO 컬트의 지도자들은 외계인의 지구 방문을 부패하고 혼란한 지구의 구원, 즉 새로운 밀레니엄의 시작으로 설명한다. 따라서 외계인의 방문은 종말론적이며, 동시에 메시아적 의미를 함축한다. 클로드 보리롱 라엘은 외계인의 방문을 이미 오래전부터 인류의 행복과 발전을 도모하기 위해 있어 온 사실이라고 주장한다. 그는 모세, 예수, 석가, 마호메트, 요셉 스미스를 지금까지 지구에 파견된 외계 메시아였으며, 그 자신은 외계인에 의해 선택된 마지막 예언자라 설명한다. 인류는 지금까지 인간 능력을 맹신하고 과신한 나머지 예언자들의 중대한 방문을 무시하고 스스로를 파멸시키도록 행동해 왔는데, 이제는 최후의 예언자인 자신의 메시지를 따를 때에만 지구의 멸망으로부터 구출될 수 있다고 확신한다. 그는 노아의 방주를 비유로 삼아 자신의 역할이 지닌 중요성을 역설한다. 고대에 노아가 미래의 위기를 경고하고 신의 메시지를 전했을 때 이를 비웃은 자들은 구조될 수 없었다는 것이다. 클로드 보리롱 라엘은 이제 지구가 스스로 지상의 모든 생명을 파괴하는 암흑의 시대에 접어들었다고 규정한다. 최후의 예언자가 전하는 메시지에 따라 엘로힘을 지구인의 창조자들로 인정하는 자만이 영생을 얻게 된다. 인류가 자각하지 않고 지금과 같은 행동을 계속할 때 종말의 시간은 피할 수가 없다. 그것도 아주 가까운 미래에, 그때가 되면 사람들은 두 편으로 나뉘어진다. 즉, 자기들의 창조주를 믿지 않고 최후의 예언자를 따르지 않은 사람들과 눈과 귀를 활짝 열고 오래전에 예고된 사실들을 인정하는 사람들의 두 부류로 갈라지는데, "전자는 최후의 화덕 속에서 파멸의 고통을 겪을 것이고, 후자는 구출되어 최고 가이드와 함께 불사의 혹성으로 가게 될 것이다. 거기에서 그들은 고대의 현자들과 함께 자기 완성과 개화, 그리고 희열에 넘치는 멋진 생활을 즐기게 될 것이다. 그들은 조각과 같이 멋진 육체를 가지고 자신들에게 완전히 봉사하기 위해 존재하는 비할 수 없이 아름답고 매력적인 남녀들이 날라 오는 맛있는 음식을 맛볼 것이다."[35]

빌리 마이어의 추종자인 랜돌프 윈터즈(Randolph Winters)[36]는 외계인이 지구에 도착하는 과정을 상세하게 묘사한다. 그에 따르면 플레이아데스인들은 지금까지 인류의 영적 성장과

정을 감시하고 관찰해 왔으며, 지구인들을 위해 공개적으로 접촉할 의도가 있음을 끊임없이 암시해 왔다고 한다. 만일 접촉의사가 결정되면, 그들은 우선 언제 지구에 도착할 것인지를 무선으로 송신하게 된다. 이 송신내용을 접하면 지구인은 처음에는 공포와 두려움에 떨게 된다. 그들이 누구인지 또는 무슨 목적으로 지구에 오는지 알 수 없기 때문이다. 외계인의 존재는 지구상에 있는 많은 사람들의 가슴을 두려움으로 떨게 한다. 그러나 수차례의 무선 송신이 있고 난 후, 사람들은 서서히 평온을 되찾고 외계의 존재에 적응하게 된다. 지속적인 송신으로 지구인들은 그들의 모습에 대해서도 알게 된다. 외계인은 우리와 비슷하게 생겼지만 몸에 털이 없고, 우리보다 더 가늘다. 키는 더 크고, 손과 발은 우리와 같다. 그들은 매우 큰 우주선을 타고 지구에 도착하는데, 우주선은 하얀빛을 발하는 타원형 물체로서 마치 커다란 달걀과 같은 형태를 띤다. 우리가 지금 할 수 있는 일은 첫 번째의 무선 송신이 오는 것을 손꼽아 기다리는 것이다. 어쨌든 플레이아데스인들은 우리 지구인을 돕기 위해 과거에도 왔고, 지금도 그 관계를 지속시키고자 한다. 그들은 우리가 공동의 조상들을 모시고 있기 때문에, 같은 대가족으로서 우리를 염려하고 있다는 것이다.[37]

UFO의 '메시아들'에 따르면 외계인(신)은 전쟁, 핵실험, 생태계 파괴 등과 같은 인류가 만들어 낸 실패작으로 생존위기에 봉착하게 된 지구를 특별한 사명의식으로 대한다고 한다. 이 외계의 존재들은 지구 인류와 문명의 창조자이며, 동시에 자신들의 조상과 지구의 조상들이 혈연으로 맺어져 있기 때문이다. 이들은 자신의 피조물이며 후손인 지구상의 생물을 파국적인 재난에서 구원하기 위해 UFO라는 우주선을 타고 지구를 방문한다. 이때 우주선은 지구를 살리는 중대한 '우주적 노하우(cosmic know-how)'를 싣고 지구에 도착한다. 외계인들이 이 우주적 처방전을 전달하거나 혹은 사람들을 직접 우주선에 탑승시킴으로써 인류는 구원의 세계로 공간이동을 하게 된다. 이 우주적 노하우는 모든 사람이 알 수 있는 것이 아니라, 철저히 우주의식을 훈련한 자만이 깨달을 수 있다. 마찬가지로 우주 방주에는 모두가 다 승선할 수는 없으며 우주의 '에티켓'을 가진 자만이 탈 수 있다. 이때 한 시대가 다하고 새로운 시대가 열리며 인류는 공간적으로 완전히 새로운 세계에 진입하게 된다. 이 세계에는 셀 수 없이 많은 꽃과 아름다운 색깔, 향기로운 냄새, 신들의 술인 앰브로사가 있으며, 영적으로 고귀한 존재들이 살게 된다. 전화와 같은 통신수단은 없으며, 텔레파시로 진정한 이해와 사랑을 교류하는 곳이다.[38] 클로드 보리롱 라엘은 「코란」 제56장, 제16-25절을 인용하면서 이 새로운 세계를 다음과 같이 묘사한다.

"금과 보석으로 장식된 긴 의자에 앉아, 얼굴을 마주 보며, 영원히 늙지 않는 젊은이들이 날라 온, 이제 막 솟아오른 샘물의 잔을 주고 받는다. 그것은 마셔도 취하지 않고 두통도 나지 않는다. 좋아하는 과일과 먹고 싶은 새고기 요리도 날라 와서, 크고 진주와 같이 사랑스런 눈을 가진, 아름다운 아가씨와 함께 즐길 수가 있다. 이것이 그들의 행위에 대한 보상이다." (Rael 1988 : 229)

UFO 신봉자들은 이러한 천년왕국의 사명을 지닌 외계인의 공식적인 지구방문이 지구의 반그리스도세력(예 : 미 정부 당국)에 의해서 철저히 은폐되고 있다고 주장한다. 미 정부가 미리 외계인들과 접촉하여 그들의 우주적 노하우를 중간에 가로채거나, 추락한 외계인들을 생포하여 그들로부터 엄청난 정보를 캐내고 있다는 것이다. 이들에 따르면 미 정부의 비밀기지는 1951년 말 네바다 주의 일부 지역을 완전히 통제하고 있으며, 특히 프로젝트 '레드라이트'라는 팀이 이 비밀구역에서 연구활동을 진행하고 있었다고 한다. 이곳은 우주 방어를 위해 우주무기를 실험하는 특급 군사비밀 작업이 진행되는 곳으로, 미군 당국과 외계인들 간의 모종의 극비실험이 현재에도 비공개적으로 이루어지고 있다고 전해진다. 실험 내용은 외계인과 지구인과의 혼혈종 실험, 유전자 조작 실험 등 각종 생물학적 테스트가 주를 이룬다. 또 다른 비밀 구역으로 네리스 공군기지가 있는데, 이곳은 극비보안 지역이다. 에어리어-51 부근 S-4기지에서는 외계인으로부터 받은 노하우를 바탕으로 UFO 추진 시스템과 원동력에 관한 실험이 진행되고 있다고 한다. 중력에 의해 추진력을 얻는 방법으로 UFO가 강력한 중력을 갖게 되면 시간과 공간을 추월하여 비행하게 되는데, 그 원동력은 반물질 반응으로 얻는다. 여기에는 원소 115라는 연료가 투입되는데, 지구의 기술로는 아직 제조가 불가능한 물질이다.[39] 미 정부는 1947년 7월에 뉴멕시코 주의 로스웰 근처에서 추락한 비행접시로부터 시신을 발견했는데, 이것을 낙하산 투하에 사용된 군사용 인형이었다고 변명함으로써, 그 사건을 오늘날까지 철저히 은폐하고 있다고 한다. 당시 추락한 UFO의 파편물들이 미 정부 당국의 손에 넘어가게 되고, 그 진상이 철저히 베일에 가려지게 되었다는 것이다. UFO 추종자들은 더 이상 정부의 은폐공작에 꼭두각시처럼 조정될 것이 아니라 외계인의 귀환을 자율적으로 적극 추진할 것을 주장한다.

UFO 신봉자들에게 있어서 천년왕국의 길은 험난한 여정을 동반한다. 세기말, 천년왕국의 '예언자'는 지상으로부터 낙원인 지구의 모성(母星)으로 이르는 험난한 길을 안내해 줄 '항해사'의 역할을 담당하고 있다. 그는 신으로부터 계시를 받은 자로, 자신의 손님을 경이로운 우주 산책길로 안내해 고도의 우주정신으로 충만한 유토피아에 도달하게 한다.

우주형제들이여, 어서 오소서

UFO 컬트 신도들은 '예언자'의 '과학적인' 안내에 따라 외계의 신들을 근접 조우할 준비를 해야 한다. UFO 컬트의 지도자들은 신도들에게 외계인이 전달한 개정판 성서에 따라 행동할 것을 요구한다. 예를 들어 빌리 마이어는 '새로운 시대'에 걸맞는 영적 성장의 필요성을 역설하였다. 그에 의하면 초기 발전 단계의 인간은 자신의 삶이 더 나아지기를 바라는 단순한 마음에서 태양을 찬양하고 달을 숭배하는데, 그것은 당시 인간의 인식 수준을 반영하는 것이다. 초기발전 단계에서 인간은 사회를 위해 간단한 법칙들을 만들 수밖에 없었지만, 인간이 진보하고 경험이 축적됨에 따라 지성과 고도의 의식을 갖추면서 지식수준에 보다 근접한, 과거와는 다른 법칙들을 만들게 된다. 한마디로 영적 성장이란 시대에 걸맞게 창조의 법칙들과 조화를 이루는 논리적 사고를 하는 것이다. 또한 인간의 영적 성장은 자신의 행동과 생각 그리고 행위들에 대해 100퍼센트 책임지는 것을 배우는 과정이다. 인간이 져야 할 책임을 다른 어떤 생명체들이나 신, 우상, 종파들에게 떠넘기면서 성장하기를 바랄 수는 없다. 신들을 포함한 다른 어떤 존재들도 인간을 대신해서 성장해줄 수 없기 때문에, 인간은 창조를 통해 자신에게 주어진 에너지를 가지고 또 자신이 창조의 일부분이라는 것을 알면서, 자신들의 문제에 직면하는 것을 배워야 한다. 새로운 시대의 인간은 자신 속에 있는 영적인 힘을 끌어내어 스스로 생각하는 모든 것을 성취할 수 있어야 한다. 이렇게 될 때 창조 및 고도의 의식을 가지고 있는 플레이아데스의 존재들과 직접 대화·접촉할 수 있게 된다고 한다.[40]

외계인을 직접 영접하기 위해 외계인 대사관을 실제 건립해야 된다고 주장하는 UFO 숭배자도 있다. 국제 '라엘리안(빛을 가져오는 인간)' 운동협회의 창시자인 클로드 보리롱 라엘은 '인구 폭발, 에너지 고갈, 생태계 파괴 등 지구의 위기를 극복하기 위해서는 인류의 창조자인 외계인을 영접해야 한다'고 주장한다. 그는 자신이 전개하고 있는 '라엘리안' 운동의 목적이 외계인을 맞이할 대사관을 설립하는 것이라고 설명한다. 외계인의 메시지에 따르면 자신들이 지구와 공식적으로 접촉할 수 있도록 예루살렘 근처에 대사관을 건립해 줄 것을 요청했

외계인 대사관 조감도.

다고 한다.[41] 예루살렘에 대사관을 세워야 하는 이유는 "이스라엘의 민족은 엘로힘의 아들들과 인간의 딸들이 결합하여 태어난 자손이기 때문"이다.[42] 외계인 엘로힘은 1973년은 클로드 보리롱 라엘에게 다음과 같은 대사관의 조감도를 직접 언급하였다고 한다.

"기후가 따뜻하고 살기 좋은 나라에 건물을 짓도록 하세요. 그곳에는 언제든지 손님을 맞아들일 수 있는 7개의 방을 설치하고 각 방은 독립된 욕실과 적어도 21명을 수용할 수 있는 회의실, 풀장 그리고 21명이 회식할 수 있는 식당을 갖추어야 합니다. 이 저택은 정원의 중앙에 세워야 하고 호기심 많은 구경꾼으로부터 시선이 차단된 곳이라야 합니다. 정원은 담으로 완전히 둘러싸서 저택과 풀장이 들여다보이지 않도록 해야 합니다. 저택은 정원을 둘러싼 담으로부터 최소한 1킬로미터 떨어져 있어야 합니다. 건물은 최대한 2층으로 짓고, 나무를 여러 겹 심어 담의 외곽으로부터 건물을 가려야 합니다. 정원을 둘러싼 외벽에는 입구를 두개 설치하는데 하나는 북쪽에, 다른 하나는 남쪽에 둡니다. 저택에도 입구를 두 개 둡니다. 저택의 지붕은 직경 12미터의 우주선이 착륙할 수 있는 테라스를 만듭니다. 이 옥상에서 집안으로 들어갈 수 있는 출입구가 반드시 필요하겠지요. 저택의 상공과 주변을 군대가 직접적으로 또는 레이더로 감시하는 일이 있어서는 안 됩니다. 당신은 이 저택을 (가능하다면 기술한 것보다 좀더 넓은 것이 좋지만) 세울 수 있는 토지를, 그 소유 국가와 다른 나라들로부터 중립지역이라고 인정된 곳에서 입수하도록 하세요. 그것은 사실상 지구상에 세워진 우리들의 대사관이기 때문입니다……그러나 방 7개는 옥상 테라스 바로 밑에 위치하도록 하고 내부에서 잠글 수 있는 두꺼운 금속의 문을 장치해서 항상 닫혀 있도록 하여 인간이 사용하는 장소와 구별하도록 해야 합니다. 또 회의실 입구에는 살균실을 설치해야 합니다……저택의 근처에 있는 산정(山亭)으로 일 년에 한 번, 여기 쓰인 것을 이해하고 우리들이 오기를 진심으로 바라는 세계 곳곳의 사람들을 한데 부르도록 하세요. 가능한 한 많은 사람들이 모여서 우리들에 대해 강렬하게 생각하고 우리들이 돌아오기를 진정으로 염원하도록 하세요. 이러한 사람들이 상당한 수가 되고, 그들은 종교적 신비주의에서가 아니라 창조자들을 존경하는 성숙한 인간으로서 우리들을 열렬하게 기다릴 때, 우리들은 공개적으로 돌아옵니다. 그리고 모든 지구인에게 우리들의 과학지식을 유산으로 줄 것입니다. 만일 호전적인 분위기가 온 세계에서 완전히 사라진다면 이것은 반드시 실현될 것입니다. 만일 생명과 우리들에 대한 인간성을 사랑하고, 아울러 인간성 그 자체에 대한 사랑이 충분히 강해진다면, 물론 우리들은 공개적으로 돌아옵니다. 우리들은 기다릴 것입니다……우리는 엘로힘을 맞이하기 위해 대사관 주변의 지상에 머무를 14만 4천 명 가량의 사람들도 고려해야 합니다. 요구한 대로 347헥타르가 주어지면, 1인당 20㎡ 정도의 이상적인 캠핑 장소가 제공됩니다. 우리는 또한 많은 사람들이 건강하고 질병이 없게 유지하려면, 광범위한 건물 관리, 음식과 음료 제공, 현대적인 위생적이고 효율적인 통신 시스템 등을 준비해야만 합니다."[43]

이 요구에 따라 프랑스 유명 건축가가 설계를 마감하였다고 한다.[44]

스위스 안과의사인 프랑스와 피톤 또한 외계인 대사관이 예루살렘에 건립되어야 한다고 주장한다. 그는 1995년 3월 30일 남아프리카 공화국의 요하네스버그에서 열린 국제 UFO 연구자 회의에서 '외계인은 지구에 살 수 있는 안전지대가 필요하기 때문에 대사관 장소를 요청할 것'이라면서 그 장소로 유대교와 그리스도교의 발상지인 예루살렘을 최적지로 지목하였다.[45]

멕시코의 한 주술사인 안토니오 바스케스는 UFO를 맞이할 수 있는 UFO 착륙장 건설을 직접 추진하였다. 그는 1983년 3월 8일 국제 주술가 회의에서 금년 중에는 외계인이 우주선을 타고 지구에 와서 인류와의 접촉을 직접 시도할 것이므로, 1983년 4월 26일 완공을 목표로 UFO 착륙장을 건설하고 있다고 공개했다. 그에 의하면 외계인은 키가 1.9-2.1m이며, 스페인어를 완벽하게 구사한다. 안토니오 바스케스는 UFO가 3개의 발을 가진 둥근 모양을 하고 있으므로 원형 모양의 착륙장을 만들 것을 주장했다.[46]

UFO, 남태평양으로 날아가다

카고여, 우리에게 오소서

완전하고 이상적인 사회에서 살고 싶은 인간의 욕망은 그 어떤 시대에도 변함이 없다. 사람들이 꿈꾸고 세우고자 하는 완전한 사회상태는 언젠가 세계의 종말이 올 것이라는 관념과 연관되어 있다. 치유할 수 없는 최악의 상태로 간주되는 현 사회가 종말에 올 행복한 시대, 즉 새로운 시대의 도래로 끝나고, 불사(不死)와 영원이 죽음과 역사를 대체하게 될 것을 기대한다. 모든 종교에서 찾아볼 수 있는 이러한 믿음은, 특히 초기 그리스도교 시대에 활발히 유포되었다. 이때 등장한 신념이 그리스도가 지상에 다시 나타나는 천년왕국[47)에 대한 기다

카고를 애타게 기다리는 남태평양 원주민들.

림이다. 그리스도가 재림하여 지배하는 천년왕국을 완전한 시대라 여기는 믿음이다. 좁은 의미에서의 천년왕국사상은 정확히 지정된 날짜에 그리스도가 다시 돌아온다는 믿음이다. 넓은 의미에서의 천년왕국사상은 세속적이면서 성스럽고, 지상적이면서 천상적인 시대가 온다는 신앙이다. 그때에는 왜곡되고 잘못된 것들이 바로 잡아지며, 질병과 죽음이 사라진다. 그런데 인간은 미래의 행복한 시대를 단순히 꿈꾸는 것에 만족하지 않으며, 앞으로 다가올 시대의 장밋빛 청사진을 만들어내는 것으로도 만족하지 않는다. 인간은 가장 짧은 기간 내에 그곳에 도달하기 위해 활동을 개시한다. 바로 여기에서 '운동'이 시작된다.

서구의 UFO 컬트와 남태평양의 카고 컬트는 일종의 천년왕국운동이다. 이 운동은 무엇보다도 독특한 '영웅신화'를 담고 있다. 영웅신화는 어김없이 유토피아로 묘사되는 섬이나

타행성으로부터 온 존재들, 즉 조상신과 외계인의 귀환을 이야기한다. 그 귀환에는 목적이 있다. 남태평양에서는 백인들과의 접촉이 시작되면서 '악'의 무리가 득세를 하고, 이들이 퍼뜨린 각종 질병이 창궐한다. 정의로운 영웅으로서의 조상신이 부패와 어둠이 잔뜩 깔려 있는 카오스 세계를 전도시켜 엘처링가의 땅, 천년왕국의 땅을 약속하며, 하물을 가득 싣고 나타난다. UFO의 영웅신화도 동일한 공식을 따른다. 현대 문명의 시작과 함께 지구는 전쟁, 핵실험, 생태계 파괴 등 인류가 일구어낸 실패작으로 생존위기에 봉착하게 되면서, 생태계를 소생, 재생시키려는 '새로운 시대'의 비전과 사명감이 팽배하게 된다. 이때 외계인은 자신의 후손인 지구의 생물이 파국적인 재난에서 벗어나 평화와 풍요를 누릴 수 있도록 중대한 '우주적 노하우'를 싣고 지구를 방문한다.

그런데 영웅들은 자신들의 이러한 고귀하고 성스러운 사명을 수행하는 데 '사탄(Lucifer)'의 집요한 방해를 받는다. 남태평양의 카고 컬트 숭배자들은, 백인들이 의도적으로 조상이 보내거나 직접 싣고 온 하물을 탈취하여 새로운 시대의 도래를 늦추고 있다고 믿는다. UFO 신봉자들은 1947년 7월에 뉴멕시코 주의 로스웰에 추락한 외계비행접시를 미 정부가 포획하고, 여기서 발견된 외계인의 시신을 의도적으로 은폐했다고 주장한다. 그후 E.T. 대사들이 지구인과의 접촉을 시도하고자 지구에 도착하여 살고 있는데, 정부는 그들과 이미 대화하고 있으면서 이러한 사실을 극비에 부치고 있다는 것이다. 카고 추종자들이나 UFO 신봉자들은 다같이 '진실'을 은폐하는 기득권층에 대해 불신과 회의의 시선을 보내고, 지구로 돌아오는 우리 시대의 '영웅'들을 직접 맞이할 수 있도록 준비한다. 남태평양의 카고 컬트 추종자들은 하물을 싣고 올 조상들을 맞이하기 위해 부두나 활주로를 만들었으며, 서구의 일부 UFO 신봉자들은 외계인을 위한 대사관을 설립하고, UFO 착륙기지를 만든다. 또 어떤 이들은 직접 미국 캘리포니아의 한 산악 지대에 활주로를 닦아 놓고 '우주형제들이여, 환영합니다(Welcome, Space Brothers!)'라는 팻말을 세워놓기도 한다. 천국의 문 UFO 숭배자들의 경우에는, 헤일-밥 혜성이 동반했다는 UFO를 단순히 수동적으로 기다릴 것이 아니라 UFO가 가장 가깝게 근접해 올 때 동승해야 한다며 집단 자살을 기도하기도 했다.[48] 이러한 근접 조우를 위한 준비는 비단 외국에만 국한되는 것은 아니다. 이미 2000년 1월 1일, 국내의 한 UFO 관련 협회가 홈페이지상에 게재한 특별기고에 눈을 돌려보자.

"……그러면 외계인을 만나 메시지를 전하고 싶어 하는 사람들은 어떠한 방법으로 그들과 접촉을 시도해야 할까? 이때 시도할 수 있는 방법이 UFO 착륙유도기지를 설치하는 것이다. 우리가 외계인과 만나고 싶다는 메시지를 그들에게 전달할 수 있는 가장 쉽고도 타당성 있는 방법이 현재로서는 이 방법일 것이다. 착륙유도기지를 만드는 데에는 많은 예산도 안 든다. 현재 전세계적으로 유일하게 경북 봉화에

UFO 착륙유도기지가 설치되어 있다. 전일 스님의 노력으로 설치된 이 기지는 너무 작다는 약점이 있을 뿐 나름대로 훌륭히 모든 것이 작동되고 있다. 어떤 사람들은 이 방법에 대해 황당하다고 회의적인 시각을 갖고 있지만 황당한 것은 SETI(지구 밖 문명 탐사 계획, Search for Extraterrestrial Intelligence)도 마찬가지이다. 이 시점에서 가장 중요한 것은 열린 마음이 우선되어야 한다. 한 번의 시도도 없이 처음부터 이 방법은 황당하니까 안 된다 하는 사고는 이제는 버려야 할 좋지 않은 우리 인류의 유산이다. 아무튼 빠를수록 좋으니 전국의 모든 지형을 탐사하여 가장 적합한 곳에 대규모 UFO 착륙유도기지를 설치해야 한다. 예산이 그렇게 많이 드는 것도, 공사가 그렇게 힘든 것도 아닌 일인 만큼 큰 무리가 없고, 더군다나 만약 성공한다면 그 효과는 천지개벽이 될 것이니……이리 저리 한번 해볼 만하다. 때문에 하루 빨리 UFO 착륙유도기지를 설치하여 도탄에 빠진 우리 인류를 구하자……."

UFO 컬트와 남태평양의 카고 컬트의 '근접 조우'를 시도한 이 글은 그것들이 존재하느냐 존재하지 않느냐는 소모적인 물음에 관심을 갖기보다 불안하고 불확실한 시대에 대한 조망과 그 시대의 유토피아로 가고자 하는 인간의 내세적 열망에 초점을 맞추었다. 따라서 카고와 UFO의 실체를 입증하는 작업은 이 글 영역 밖의 일이다. 외계인이 실제로 이 지구를 방문하든지, 남태평양의 조상신이 귀환하든지 그것은 이차적인 문제이다. 우리가 보다 중요하게 주목해야 할 대목은 초현대판 UFO 컬트나 남태평양의 오지에서 봉기한 카고 컬트가 다같이 새로운 세계, 즉 유토피아를 갈급하는 인간의 욕망과 그것의 시대적 상황과 조건을 잘 헤아린 천년왕국운동이라는 점이다. 사람들은 특별히 심각한 위기의 시대에 세계의 종말이라든가 우주적 재생 또는 황금시대를 기다리게 된다. 엄청난 불행과 자유의 상실, 그리고 모든 전통적 가치의 붕괴로 말미암아 생겨난 정체성의 상실에서 스스로를 보호하기 위해 임박한 천년왕국의 도래를 예고하게 된다. 사람들은 이 천년왕국의 낙원을 피안의 것으로 여기지 않는다. 이 낙원은 바로 이승에 자리잡고 있으며, 그 세계는 믿음에 의해 만들어진 실제의 세계이다. 남태평양의 카고 숭배자들은 그들의 신화적 조상들이 엘처링가에 사는 것처럼, 그리고 UFO 숭배자들은 그들의 조상들(외계인)이 완벽한 우주정신이 발현된 시점, 즉 뉴 에이지에 사는 것처럼 그렇게 살고자 추구한다.

남태평양의 작열하는 태양 아래에서 새를 탄 조상신들이 카고를 가득 싣고 내려오는가? 정말로 '하늘에서 공포의 대왕이 내려오는'[49] 날 UFO를 탄 외계인들이 지상에 착륙하는가? 인간은 어김없이 프랑켄슈타인 박사의 '시행착오'를 답습하고 만다. 프랑켄슈타인은 자신이 만든 '몬스터'를 파괴하기 위해 '허무한' 사투를 벌인다. 주인의 손아귀에서 벗어난 그 몬스터는 남태평양에서 카고로, 구미대륙에서는 UFO로 출몰하고 있다.

과학과 주술의 경계를 비웃고, 시간과 공간의 한계를 넘나들며 말이다. 또 다른 밀레니엄에는 분명 카고도 UFO도 아닌 또 다른 메시아 '몬스터'가 우리를 방문할 것이다.

UFO, 다시 샤머니즘으로 날아가다

샤머니즘, 그 실존적 자유를 향하여

난 세상의 경계선 위로
몸을 들어 올렸다.
나의 발은 하늘 저편을
딛고 다녔다.

(북미 인디언, 추케젠족 샤먼)

인간 존재의 의미에 관한 문제를 인간학적인 방법론에 입
각하여 탐구할 때 샤머니즘은 최적의 출발점이다. 독자들은
이 말을 두고 내가 샤머니즘에서 보여지는 치유능력, 예언능

력, 즉 신통력에 심취되었다고 오해해서는 안 된다. 나는 절대로 샤머니즘 예찬론자가 아니다. 물론 뒤에서 자세히 설명하겠지만 적어도 나의 눈에 새롭게 비친 샤머니즘은 인간이 절대자[50)와 소통하는 엑스타시(Ekstase) 기술이다. 이 '엑스타시 기술'이야말로 인간의 실존적 욕구와 갈망을 잘 드러낼수 있는 단초이기도 하다. 우리는 밝은 일상에서 쉽게 드러낼 수 없는 자신의 욕망, 갈급, 좌절을 이 샤머니즘이라는 메커니즘을 이용하여 자연스럽게 해소시키고 있기 때문이다. 뒤늦게 나의 눈에 띈 UFO 현상도 바로 이 엑스타시 예술 영역으로 합류된다. 이 고대의 엑스타시 예술이 현대 첨단과학의 외피를 입게 되면 곧장 UFO로 변신되는 것이다. 이제 과학과 주술의 경계가, 시간과 공간의 한계가 여지없이 허물어지게 된다.

인간, 그 결핍의 존재, 그렇기 때문에 '엑스타시'가 필요하다

인간학자인 아놀드 겔렌(Arnold Gehlen)에 따르면 인간은 '결핍 존재(Mangelwesen)'이다. 어딘가 시적인 분위기가 풍기는 정의이지만 의미하는 바가 심상치 않다. 인간이 결핍되어 있는 존재라는 이해는 인간이 완전한 존재가 아니라는 말과 다르지 않다. 겔렌의 시각에서 '결핍'은 인간의 발전을 가로막는 장애물이 아니다. 오히려 인간의 결핍이 여타의 행동과 사고를 추진하는 원동력이 된다는 것이다. 인간은 무엇엔가 결핍되어 있기에 끊임없이 행동하고 이런 행동이 여의치 않을 때는 끊임없이 자유로움을 꿈꾼다. 이는 한마디로 인간은 본질적으로 결핍되어 있는 존재이기 때문에 이 '결핍'을 채우기 위해 생존의 몸부림을 치는 것이다. 그렇다. 인간은 자신에게 부족한 그 무엇을 채우려고 발버둥치는 존재이다. 현대 철학자들은 그 발버둥을 '실존(Existenz)'이라고 부른다. 인간은 불완전한 존재로서 끊임없이 자기를 초월(超越)하고자 하는 몸부림을 친다. 그래서 실존(實存)은 동시에 '탈존(脫存, Ex-sistenz)'이다. 탈존은 달리 표현하면 실존적 자유이다. 이는 영혼의 자유 혹은 정신의 자유라 불러도 그만이다. 이 자유는 절대적이다. 누구한테 얻어야 하는 것도 아니고, 누구에게 빼앗길 수 있는 것도 아니다. 뭘 수련해서 배워지는 것도 아니고, 수련하지 않는다고 잃거나 잊는 것도 아니다. 이 자유는 존재의 본성이다. 동물들은 들판에 먹을 것이 없어 굶을지언정, 우리 속에 갇히기를 원하지 않는다. 본성이 자유이기에 살아 있는 모든 것은 이 본성이 억압받는 것을 그리도 싫어하는 것이다. 때로는 죽음보다 더 싫어한다. 자유로워라. 자유로워라. 영혼과 정신은 어디 매인 곳이 없다. 한계도 경계도 없다. 푸른 창공을 가르며 바람에 날개를 싣는 새처럼 마냥 자유로워라. 정신적인 자유를 제약하는 것은 자유롭지 못하다고 생각하는 스스로의 마음밖에 없다. 마음이 잘못 알고 있는 게다. 몸이 감옥에 있을지언정, 마음이 잡념에 시달릴지언정, 이 자유는 아무도 앗아가지 못한다.

젊은 Jazz밴드와 함께하는 황해도 굿(2003).
"샤머니즘이여, Jazz여, 자유를 연주하라."

샤먼 또는 UFO 조우자가 펼치는 '엑스타시'[51] 기술은 무
엇인가? 바로 이 실존의 자유, 탈존의 상황을 자신의 몸으로
연기하는 기술이다. 밝은 대낮에는 차마 분출시킬 수 없는 일
상인의 실존적 자유를 샤머니즘 또는 UFO학이라는 이름으로
만끽하는 것이다. 엑스타시 현상을 문자 그대로 단지 빙의현
상(憑衣現像)[52]으로만 축소, 이해해서는 안 된다. 적어도 나의
글에서는 엑스타시 기술은 샤머니즘 또는 UFO 현상이 보여
줄 수 있는 인간의 실존적 자유 및 탈존의 다양한 상황을 포
괄한다.[53] 그것은 정식적으로 샤먼 또는 UFO 채널러가 되기
전에 겪는 '임사체험', 신내림, UFO 조우 때 겪는 '비행체험',
'빛의 체험' 혹은 그 이후 나타나게 되는 '텔레파시, 투시 및
예지체험'[54] 등이다.

'참인간'이 되려면

"기둥을 두 팔로 껴안아라"하고
저승사자가 명령하였다. 시키는 대로 두 팔로
그 기둥을 감싸안자마자 그의 살가죽이 타버리는 바람에
뼈만 앙상하게 남아버렸다.
사흘 후 저승사자가 불타오르고 있는 기둥을 빗자루로
쓸어내면서
"자 다시 살아나거라, 살아나거라"하고 외치자 그는 다시
살아났다.

(「아시아 불교 전승설화」 중에서)

통상적으로 보통사람은 하늘이나 신령과 직접 통할 수 없
다. 이것이 가능하려면 신체의 일부분이나 전체에 초월자의
메시지를 받아들일 수 있는 '채널'을 만들어 넣어야 한다. 이
는 혹독한 신체적 고통을 수반하는 입문절차이다. 조금 유식
한 표현으로 말한다면 의식변형 혹은 의식확대 과정이다. 이
러한 통과의례가 지나면 수련자는 점차로 다른 세상을 볼 수
있으며 절대자와 교류할 수 있는 영매(靈媒)자의 지위를 갖게
되는 것이다. 이 고통스러운 여정을 종교학자 엘리아데(Eliade)
는 인간의 태초 모습을 되찾아가는, 즉 '참인간'이 되는 과정
으로 묘사하고 있다.
　그린란드의 동부 아마살리크 에스키모의 샤먼 후보자는 먼

저 아주 특이한 초로 온몸을 씻은 다음 내륙의 산쪽으로 길을 떠나야 한다. 거기서 그는 표면이 반반한 맷돌을 만드는 바위를 찾아서 작은 돌멩이로 그 바위를 문지른다. 매일 한두 시간씩 쉬지 않고 빙글빙글 돌을 문지르는 동안 뼈가 다 들여다보이는 빼빼마른 곰 한 마리가 바다 속에서 갑작스럽게 나타나 그 수련자를 통째로 집어 삼킨다. 이때 수련자는 의식을 잃게된다. 그러나 곰은 바로 다시 토해낸다. 얼마 후 수련자는 다시 의식이 회복되고 이제 그의 뼈에는 피와 살이 새롭게 살아나며 옷가지가 날아와서 그의 새로운 몸 위에 입혀진다.

오스트레일리아, 아룬타(Arunta)족의 경우 샤먼이 되려는 사람은 조상신인 아룬타리아가 살고 있는 동굴을 찾아간다. 동굴 입구에 드러누운 그는 조상신이 자신을 데리러 올 때까지 잠을 잔다. 조상신이 나타나 목덜미 깊숙이 창을 쏴서 넣어서 혀를 관통한 후 입으로 창을 빼내며 그를 실신시킨다. 조상신은 그를 동굴 안으로 데려가서 그의 내장을 다 끄집어내고 새 내장을 집어넣는다.

1984년 미국의 닐(Nill) 씨는 어느 날 밤에 잠을 자다 외계인의 방문을 받는다. 어둠 속에서 서너 명의 외계인들이 앞으로 걸어 나와 자신에게 텔레파시로 안심할 것을 당부하며 침실의 커튼을 연 뒤 밖으로 무언가를 손짓하는 모습을 본다. 순간 방안이 온통 밝아지는 모습을 본 닐 씨는 자신이 어느 차가운 쇠 침대 위로 옮겨진 것을 알 수 있었고, 외계인들이 자신의 몸을 뒤집은 뒤 날카로운 바늘을 가져와 목 뒤에 꽂는다.

얼마 후 외계인들이 자신을 쳐다보며 '다 끝났다'라는 말을 하고 침실로 다시 데려다 준 뒤 UFO를 타고 날아가 버린다.

1987년, 여느 때와 다름없이 밤에 TV를 보고 있던 남아프리카의 우메르(Uhmer) 씨는 누군가 자신을 쳐다보고 있는 듯한 느낌을 받고 거실의 어두운 구석을 쳐다보게 된다. 그리고 머리가 상당히 크고 아몬드형 눈을 가진 정체불명의 외계인과 눈을 마주치게 된다. 외계인이 작은 막대를 들고 자신을 가리키자 우메르 씨의 몸은 즉시 마비된다. 그리고, 곧바로 방안이 온통 하얗게 되는 모습을 본 그는 눈 깜짝할 사이에 어느 실험실로 옮겨져 고통스러운 생체실험을 받게 된다. 그는 무서워 공포에 떨었으나 몸이 마비되어 비명조차 지를 수가 없었다고 한다. 곧이어 시작된 외계인의 생체실험 중 자신의 목에 날카로운 바늘이 꽂히더니 갑자기 목에서 바늘이 빠지는 것을 느낀다. 순간 그는 온 세상이 하얗게 된 듯한 느낌을 받은 뒤 자신이 다시 소파에 앉아 TV를 보고 있음을 깨닫게 된다.

신의 코드를 '인식'하기 위해서 무당은, 정확히 말하면 무당후보자는 자기 몸에 변화를 주어야 한다. 신에 의해 선택된 참인간이 되기 위한 과정이기도 하다. 몸의 자기 변용과정이 진행되는 동안 무당은 환시(幻視) 속에 자신의 '껍질이 모조리 벗겨지고 붙어 있는 살이 모두 베어지고 난도질 당하며 삶기고 구워지는' 체험을 하게 된다. 자신의 육신이 무너져 내리고 뼈만 남는 샤먼의 육신 해체체험은 거의 '임사체험(near death experience)'에 가깝다. 그의 체험은 심한 고통을 수반하는 저승

차가운 쇠 철판 위에 사람을 눕히고
뾰족한 막대기로 수술을 한다는 외계인들.

과 이승을 넘나드는 위험천만한 여행인 것이다. 마찬가지로
UFO 접촉자도 '조우' 동안 극심한 심리적 긴장을 유발시키는
생체실험을 받게 된다. 또 다른 형태의 임사체험인 셈이다. 무
당과 UFO 접촉자는 이때 초인간적인 영력과 함께 새로운 육
신을 부여 받는다. 다시 의식이 회복되고 이제 자신의 뼈와 살
이 전과 다른 느낌으로 되살아난다. 토해냄, 절단, 내장의 교
환 그리고 바늘의 삽입 등은 신과의 채널링을 연결하는 내적
변화, 즉 '참인간'이 되기 위한 준비과정을 상징하는 것이라
볼 수 있다. 이는 속세의 인간이 '해체'과정을 거쳐 새로운 인
간으로 다시 태어나고 싶은 실존적 욕구를 드러내는 과정인
것이다.

접촉 그 이후

"그래서 나의 믿음을 선언하노니,
나는 플로티누스의 사상을 버리고
플라톤을 편들어 외치노라.
죽음과 삶은 원래
인간의 암울한 영혼에서
이를 모든 것으로 여기기 전까지는
그것만이 우리에게
전부는 아니었다.
일월성신(一月星辰) 모두와
이에 더하여

죽음으로써 우리는 다시 일어나

환상의 낙원을 꿈꾸고 창조하노라."

(『Yeats의 시 모음집』(1968) 중에서)

원인 모를 병에 시달리다

샤먼의 임사체험은 일회적인 사건으로 끝나는 것이 아니다. 유능한 샤먼은 초월자와 첫 접촉 이후 평생 동안 깊은 유대관계를 지속시킨다. 샤먼은 신과의 본격적인 친밀관계를 맺기 전에 반드시 신병을 체험하게 된다. 신병의 증상을 보면 어느 날부터 갑자기 시름시름 앓기 시작하는 것으로 시작한다. 이 증상에는 신분도, 유전적 병도 관계가 없다. 그래서 이 병원 저 병원을 찾아다니면서 여러 가지 방법으로 치료를 해보지만 시간만 흘러갈 뿐 특별한 효험을 보지 못한다. 그러는 중에 식생활에도 이상이 오기 시작한다. 즉, 밥을 제대로 먹지 못하고 냉수 외에는 아무것도 먹지 못하는 증세가 오는 것이다. 그뿐만이 아니라 차츰 몸이 허약해지면서 사지가 쑤시거나 한쪽 머리, 한쪽 가슴, 한쪽 팔 등이 아픈 편통 증세가 온다. 또 마음의 안정을 잃으면서 꿈이 많아지고 꿈속에서 환청이나 헛것을 보거나, 환각 등의 경험을 하게 된다. 이 증상이 심해지면 갑자기 집을 뛰쳐나가 산이나 들 등을 헤매게 되며 꿈속에서 샤먼이 사용하는 물건을 보게 되거나 신과 접촉하는 장면을 꿈꾸게 된다. 알려진 바에 따르면 신병 기간이 평균 8년, 길게

는 30년 동안 계속되는 경우도 있다고 한다.[55]

 UFO 접촉자의 임사체험도 샤먼의 그것과 상당히 유사하다. 외계인과의 접촉 이후 어느 때는 갑자기 잠을 자다가도 부르는 소리가 들려오면 벌떡 일어나서 미친 듯이 바깥으로 달려 나간다. 무의식 상태에 자주 빠진다. 한참 동안 신경쇠약증세나 기억상실 증세를 보인다. 심한 추위가 엄습해오며, 한쪽 팔 등을 며칠 동안 제대로 사용하지 못한다. 근육경련, 두통과 함께 머리 속에서 마치 에너지가 발산되는 듯하며, 이상한 소리가 난다(환청현상). 가끔씩 심한 구토와 설사를 동반하기도 한다.

 한국인 UFO 접촉자인 K씨의 사례를 살펴보자. 1960년대 초 강원도 동해시에 살고 있던 K씨가 15세 되던 해의 어느 날 한밤중에 어디선가 자신을 부르는 소리가 들렸다고 한다. 그 소리가 나는 곳은 냉천이라고 불리는 바닷가였고, 거기서 그는 접시 같은 원반 형태의 UFO를 목격한다. 이때 UFO 기체에서 발산하는 강한 빛을 몸에 맞은 K씨는 그 빛에 흡수되듯이 빨려 올라가 UFO 안으로 들어갔고, 거기서 3명의 외계인들을 만난다. 그들은 K씨가 자신들의 후예임을 알려 준다. 최초의 UFO 탑승 이후, K씨는 매일 밤 11시에서 새벽 1시에 바닷가로 달려 나가 외계인들과 접촉하게 된다. 어느 때는 갑자기 잠을 자다가도 부르는 소리가 들려오면 벌떡 일어나서 미친 듯이 바닷가로 달려 나갔다고 한다.

 예비 샤먼 내지 UFO 접촉자의 '입문식'은 임사체험을 수반한다. 임사체험은 '새로운 탄생'을 가져온다. 이는 '혼돈'에서 '창조'로의 전이를 의미한다. 예를 들어 샤먼이 되고자 하는 자는 실제로 입문병이라든가 광기라든가 아니면 특이한 신체적 혼돈을 일으키는 경우가 많다. 이와 같은 심리적 혹은 신체적 혼돈은 새로운 세계를 위한 하나의 필수불가결한 조건이다. 이는 속세의 인간이 '해체'과정을 거쳐 새로운 인간으로 다시 태어나고자 하는 욕망을 상징하는 것이다. 샤먼 후보자 혹은 UFO 조우자가 겪게 되는 '광기'와 '육신의 혼돈'에서 새로운 탄생을 꿈꾸는 인간의 실존적 욕구가 극명하게 드러나게 되는 것이다.

날자, 날자, 하늘을 날자

인간은 인간으로서 자신의 존재적 한계를 뛰어넘고 싶어 하는 본능적 욕망이 있다. 끊임없이 도전하고 정복을 시도하는 모습은 인간의 '비행욕구'로 표출되고 있는 것이다. 자신의 결핍성으로 인한 무한한 공간, 자유로움을 향한 실존적 욕구는 위로 날고자 하는 비상(飛上)심리로 다양하게 분출되고 있다.

라스무센(Knud Johan Rasmussen, 1879~1933)은 하얀 바다를 주술 비행한 어떤 에스키모 샤먼에 관한 이야기를 전해 들었다고 한다. 그 샤먼은 자신의 고향에서 멀리 떨어진 곳에 살고 있는 사람들을 그리워하고 있었다. 그는 마을 사람들에게 이렇게 고백했다고 한다. "자네들은 새 땅에 대한 그리움을 아는가?" "새로운 사람들을 만나고 싶은 그리움을 아는가?"
그는 마음의 평안을 찾지 못하다가 결국 모든 마을 사람들이
모인 가운데 주문을 외워 신령들을 불러냈다고 한다. 수호신
령들의 보호 아래 자신이 꿈꾸어 온 새로운 땅, 새로운 사람을
향해 공중여행을 감행했다. 그의 영혼이 바다를 건너 공중으
로 비행하는 동안 그의 육신은 거의 숨쉬지 않는 상태로 머물
러 있었다고 한다. 주술비행에 관한 민속학 논문들 중에서 북
미 시옥스족의 샤먼인 블랙 엘크의 이야기가 자주 거론된다.
기록된 그의 비행담을 들어 보자.

"나 혼자 구름 위에 떠 있게 되었습니다. 그런데 그 구름
은 굉장한 속도로 움직였습니다. 그래서 난 떨어지지 않으
려고 구름을 꽉 잡았습니다. 멀리 아래쪽에 집과 도시, 푸른
초원, 강들이 지나갔습니다. 그리고는 드넓은 강물 위를 날
았습니다. 얼마 지나지 않아 구름과 저는 대도시 위를 날게
되었습니다. 그러다가는 망망대해가 나타났고, 별 한 점 없
는 밤이 되었습니다……그러나 얼마 후 멀리서 불빛이 보
이기 시작했습니다. 그리고 다시 발 밑으로 땅이 보였습니
다. 도시와 초원, 집들도 보였습니다. 이어 구름은 어느 커
다란 도시 위에 머물렀고, 내 발 밑의 집 한 채가 절 받아들
이려고 하늘로 솟구쳐 올라 왔습니다. 빙글빙글 돌면서 말
입니다. 그 집이 구름을 스쳤나 싶었을 때 날 받아 넣고서는
다시 아래로 내려갔습니다. 집은 계속해서 빙글빙글 돌았습

니다. 발이 땅 위에 닿았습니다. 그러자 어느 아가씨의 목소리가 들려 왔고 뒤이어 겁에 질린 사람들의 소리가 귓전을 울렸습니다. 나는 침대 위에 똑바로 누워 있었습니다. 그 아가씨와 그녀의 가족, 그리고 의사 한 명이 다들 공포에 질린 눈초리로 날 쳐다보고 있더군요. 나의 일행 중 영어 통역을 하던 사람이 내게 다가와 어떻게 된 것인지 설명을 해줬습니다. 나는 아침 식사 도중 위쪽을 한 번 쳐다보고는 미소를 머금더니 그대로 의자 밑으로 쓰러졌다는 것이었습니다. 사흘간 나는 그렇게 꿈쩍도 않고 누워 있었고, 그동안 단 한 차례 아주 약하게 숨을 들이마셨다는군요. 이따금 심장 박동도 없더랍니다. 그래서 그들은 내가 곧 죽을 것이라고 생각하고 막 관을 주문할 참이었다고 하더군요."[56]

UFO 접촉자의 공중비행 스토리는 샤먼의 경우에 못지않게 자주 거론된다. 예를 들어 외계인들에 의한 방문은 UFO 접촉자가 공중부양 후 벽이나 창을 뚫고 날아가는 것으로 진행된다. 빛과 함께 등장한 외계인은 체험자의 신체를 만지고, 곧 체험자는 공중으로 떠올라 침대를 이탈하고 있음을 느낀다고 한다. 체험자는 빛 덩어리에 다가가서 곧 거기에 휩싸이게 된다. 이때 외계인은 그와 동행한다. 이들 일행은 곧 닫힌 창문을 통과해서 밖으로 나가고 이때 체험자는 어떠한 물리적인 느낌도 받지 않는다고 한다. 그들이 나무나 지붕보다 높게 날아오르면, 하늘에 별들이 보이기 시작하고 곧 UFO에

다가가서 그 안으로 스며들게 된다. 여성 UFO 접촉자인 바바라 아처(Barbara Archer)의 경우 외계인이 그녀의 손을 잡고 창을 향해 날아가자 그녀도 같이 닫힌 창문을 통해 밖으로 날아갔다고 한다. 또 다른 UFO 접촉자인 에바(Eva)는 어느 날 난쟁이처럼 생긴 외계인의 방문을 받는다. 외계인이 자신의 몸을 바늘 같은 것으로 찌르자 몸이 공중으로 뜨더니 갑자기 바깥으로 빨려나가는 느낌을 받았다. 눈 깜짝할 사이에 어느덧 자신이 UFO 내부에 들어와 있다는 사실을 알게 되었다고 한다.

　샤먼이나 UFO 접촉자가 보여 주는 주술비행 내지 공중부양의 진위는 이 글의 관심사가 아니다. 그보다 이 주술비행이 상징하는 인간의 실존적 상황을 추적해내는 일이 더욱 의미 있는 작업이다. 샤머니즘이나 UFO학에서는 '주술적 비행'이나 '우주여행'과 관련된 많은 상징과 신화를 사용하는데, 이는 인간의 실존적 자유, 초월 혹은 탈존의 상황을 드러내기 위한 메커니즘이다. 여기서 '주술적 비행'이나 우주여행을 위한 '공중부양'은 몸의 중량이 사라지고 물리적 규칙을 뛰어 넘는 존재론적인 변화가 일어난다는 사실을 보여준다. 즉, '비행'에는 일상적 경험세계에 영향을 미치는 단절의 의미가 담겨져 있다. 이 단절은 명백히 인간의 실존적 지향성을 지닌다. 즉, 인간은 '비행'을 통해 실존적 초월, 자유를 일시적이나마 맛보는 것이다.

누미노제, 빛의 체험, 무섭지만 매혹적인 체험

미지의 세계에 대한 동경, 일상과 전혀 다른 세계로 향한 관심은 인간의 실존적 조건이다. 절대 세계를 향한 이러한 실존적 자유는 샤먼 또는 UFO 접촉자의 몸을 통해 구체화되는 것이다. 이들이 보여주는 구체화 양상(절대자와의 조우)은 항상 우연적이고 극적으로 그리고 갑작스럽게 이루어진다. 이들이 절대자와의 만남에서 느끼게 되는 체험은 공포심을 유발하지만 동시에 매우 매혹적이다. 조금 어려운 용어로 '누미노제(numinose)'[57] 체험이다. '누미노제'한 체험은 절대자와의 만남에서 체험자가 느끼는 감정에 대한 표현이다. 이러한 체험 안에는 떨리고 위압되며, 위급함을 체험하게 하는 두려움(tremendum)의 요소와 다른 어느 것보다도 매력적이며 행복을 체험하게 하는 매혹적인(fascinans) 요소가 동시에 존재한다. 한마디로 무섭지만 마음이 끌리는 반대 감정 병존의 신비스러운 체험이다. 즉, 이 체험은 바로 인간 실존에 직접적으로 관여된 체험이다. 인간은 결핍 존재로서 이 결핍을 채우기 위해 자유를 향한 생존적인 몸부림을 친다. 그런데 자신을 넘어서고자 하는 욕망은 양면적이다. 초월, 자유를 향한 시도는 두려움이고 동시에 매혹적이기 때문이다.

에스키모 샤먼 아우라(Aura)는 라스무센에게 우바브누크의 접신에 관한 이야기를 다음과 같이 들려주었다고 한다. 어느 날 밤 그녀는 소변을 보려고 밖으로 나갔다. 그날은 어두운 겨

울 밤이었는데, 갑자기 하늘에 휘황찬란한 불덩이가 나타났다. 그 불덩이는 땅으로 떨어지고 있었는데 우바브누크가 앉아 있는 바로 그 자리로 떨어졌다. 미처 몸을 피하기도 전에 그 불덩이는 그녀를 덮쳤다. 그 순간 자신의 모든 것이 빛으로 가득 차는 걸 느꼈다. 그녀는 의식을 잃었다가 깨어난 그때부터 위대한 샤먼이 되었다. 불덩이의 신령은 그녀의 몸속에 둥지를 틀었다. 사람들은 이 신령이 두 부분으로 되어 있다고 이야기한다. 한쪽은 곰같고 다른 한 쪽은 사람의 형상이라는 것이다. 머리는 사람인데 이빨은 곰처럼 맹수 이빨이었다. 우바브누크는 신들린 상태에서 집안으로 뛰어 들어와 노래를 불렀다. 그 노래는 그녀가 사람들의 병을 고칠 때 부르는 주문이 되었다.

> 큰 바다가 나를 움직이게 만들었다.
> 나를 출렁이게 해주었다.
> 마치 강물에 떠있는 물풀처럼
> 떠내려가게 해준다.
> 천공(天空)과 기세당당한 공기가 날 움직인다.
> 이것들이 내 가슴을 움직이고 날 사로잡아
> 기쁨의 전율을 일으키노라.

우바브누크는 천공의 출렁임을 느낀다. 말하자면 그녀와 천공이 하나가 되는 느낌인 것이다. 우바브누크는 자신의 체험을 대양이나 강물이라는 은유어를 사용하여 묘사한다. 그녀의 자세는 물에 떠내려가는 수동적인 것이다. 우바브누크의 신내림은 빛의 체험으로 시작되며, 이 광채는 곰 이빨이 암시하듯 공포심을 불러일으킨다. 불덩이 신령은 샤먼 후보자의 눈앞에 놓인 베일을 벗겨내고, 과거의 기억을 지워버린다. 그리고 그의 마음에 기쁨의 전율을 선사하게 된다.

1982년 미국 서부출신인 린 노블(Lynn Noble)은 고향마을인 몬타나에서 휴가를 보내고 있었다. 어느 날 밤 그녀는 부모와 함께 숲속으로 놀러가서 차를 멈추고 인생에 대한 대화를 나누고 있었다. 그때 갑자기 하늘에서 슈슈하는 소리와 함께 처음에는 희미한 빛이 비치더니 조금 후에 백광이 작열하여 자동차를 온통 뒤덮었다. 차창 밖에는 빛의 세기가 너무 밝아 아무것도 보이지 않았다. 한참 후 가까스로 눈을 뜬 그녀는 차위로 30미터 높이에 떠있는 UFO 외곽선을 어렴풋이 볼 수 있었다. 그녀의 옆 좌석에 앉아 있었던 부모들은 마치 영화 필름이 정지한 것처럼 얼어붙은 채 꼼짝하지 않고 있었다. 그때 노블은 자신의 영체가 차의 지붕을 뚫고 하늘로 치솟는 듯한 느낌을 받았다. 이전에는 결코 느끼지 못한 자유스러운 느낌이었다. 그녀는 UFO에 타고 있는 존재와 텔레파시로 대화하기 시작했다. 노블은 그 순간 공포감을 느꼈지만 절대적인 쾌락과 총체적인 평화 그리고 마치 자궁 속에 들어와 있는 듯한 따스함을 느꼈다고 한다.

이처럼 샤먼이 겪게 되는 체험이나 UFO 피랍체험은 누미노제 체험의 전형적인 예이다. 절대자와의 만남은 이상한 광

휘를 동반한다. 강렬한 빛을 동반한 순간은 공포의 전율과 솟구치는 환희의 양면가치적인 체험을 불러일으키게 된다. 누미노제 체험을 일으키는 이 '빛'의 경험들은 기본적으로 몇 가지 공통된 특성을 지니고 있다. 이를테면 이런 경험은 급작스럽게 그리고 예기치 않게 나타난다. 또한 거기에는 이루 형언하기 힘든 지적 깨달음이 수반된다. 어떤 경우에는 이런 체험이 시간의 바깥 또는 저 너머에서 발생한 것 같다는 느낌을 갖게 한다. 그런가 하면 일상적인 시간 속에서 사건이 전개되기도 하는데, 이때는 빛이 그 세기를 바꾼다(예를 들어 단순히 밝은 빛에서 눈부신 백열등 같은 것으로). 빛의 체험은 체험자의 존재에 하나의 실존적인 단절을 가져다준다. 체험자는 다시 태어났다고 하는 감정을 느끼게 된다. 일상에서 벗어나 전혀 다른 세계로 들어가고자 하는 인간의 실존적 갈망이 이러한 '실존적 변형'으로 감지되는 것이다.

사자(使者)와 춤을

> 나는 신령들에게 붙잡혔네.
> 그리고 마력과 수정에 사로잡혔네.
> 멀리, 아주 멀리.
> 세상 끝까지 이끌려 갔다네.
> 하 ~ 보 ~ 호 ~

그제서야 나는 치유받았네.
생명을 주는 이가
내 가슴 깊숙이 파고 들어왔네.
그 늑대가
그 수정이
하 ~ 보 ~ 호 ~

나는 생명을 주는 자라네.
나는 치유하려고 왔다네.
늑대의 방법으로
수정을 가지고
난 병을 고칠 것이네.
하 ~ 보 ~ 호 ~

나는 살아있는 생수와
치유제
늑대
살아 있는 물과
신들의 수정을 가지고
왔다네.
하 ~ 보 ~ 호 ~

(크바키우틀(Kwakiutl)족 샤먼, 레비드(Lebid))

엄밀히 말해서 샤먼이나 UFO 접촉자가 접하는 신은 유일

무이한 절대신이 아니라 이 절대신이 보낸 사자라고 보면 무방하다. 비유하자면 대통령이 보낸 특사나 나라를 대표하는 대사 정도의 수준일 것이다. 보통사람에게 사자들은 거의 신격에 해당하는 신령과 같은 존재들이다. 이들은 이미 작고한 조상이거나 특별히 정의할 수 없는 동물형상이나 신화적 존재로 모습을 드러낸다. 파라과이의 아바 키리파족의 예를 들어보자. 이 부족의 샤민인 아바 넴비아에게 신내림 중에 할아버지가 사자로 나타났다고 한다. 할아버지 신령은 그에게 무구(舞具)를 선물로 주고는 하늘과 땅을 잇는 사다리의 비밀을 가르쳤다. 할아버지는 그를 어느 산 위로 데리고 가서 신비한 춤과 노래를 가르쳐 주었다. 이후 그는 새로 습득한 춤과 노래로 병든 사람을 치유하는 능력을 발휘하게 되었다. 할아버지와의 규칙적인 수련 기간이 계속되는 동안에 그는 다른 신령들로부

황해도 무당의 의료행위(자료제공 : 민속학자 손진태, 1932).

터도 다양한 치유제 사용방법을 배웠고, 나아가 예언능력도 갖추게 되었다고 한다.

참고로 우리 나라 무당이 체험하는 신령은 산신, 칠성신, 지신, 용신, 장군신, 대감신, 동자신, 선녀신, 조상신 등 일일이 헤아릴 수 없을 정도로 무척 많다.[58] 최초로 체험하는 신령을 몸주신이라 하며, 그후 내림굿 과정에서 또는 신령을 모시며 무당으로 활동하는 동안에 여러 신령들을 체험한다. 몸주신은 대개의 경우 해당 무당의 수호신 역할을 하며, 단골(무당을 믿는 사람)이 처한 어려움을 해결할 수 있도록 무당을 통해 방향을 제시한다.

가장 널리 알려진 외계인 접촉자는 조지 아담스키와 빌리 마이어를 들 수 있다. 조지 아담스키(George Adamski)는 사막에서 처음으로 외계 사자를 만났다고 한다. 지구인과 흡사하게 생겼지만 무척 아름다운 외모를 지녔으며 자신을 금성인이라고 소개한 그 외계인은 아담스키에게 텔레파시로 절대자의 가르침을 전했다고 한다. 우선 태양계에는 지구인이 알고 있는 것과는 달리 12개의 행성이 있는데, 이 행성 모두에 인류가 살고 있으며, 지구인은 가장 문명의 수준이 낮다고 한다. 그리고 외계인이 지구를 방문하는 가장 큰 이유는 지구인에게 핵전쟁의 위험성과 환경 재난을 미리 경고하기 위해서라고 했다. 그후 아담스키는 지구인과 유사한 모습을 지닌 화성인과 토성인의 방문을 받고 그들의 권유로 UFO에 직접 탑승할 수 있게 되었다. 아담스키는 지구 궤도를 돌고 있는 거대한 UFO

모선(母船)에 가서 외계인 사령관을 만나 더 많은 가르침을 받았다고 한다. 그 가르침 중에는 예수 그리스도가 사실은 외계 사자라는 설명도 포함되어 있었다. 마지막으로 그는 UFO를 타고 달까지 가서 달 표면에 풍부한 동·식물이 자라고 있는 광경을 직접 목격하고 돌아왔다고 주장했다.

빌리 마이어는 한여름의 어느 날 스파아트라는 우주 사자의 방문을 받았다고 한다. 마이어는 먹는 배 모양을 한 직경 6미터 정도 되는 UFO 안에 태워졌고 몇 시간 동안 비행을 체험했다. 그후 마이어는 10년 동안 스파아트로부터 텔레파시로 중요한 지식과 정보를 받았다고 한다. 스파아트는 보다 진화된 여성 외계사자(使者)인 아스케트에게 수련 임무를 넘겨주고 마이어와의 텔레파시 교신을 끝냈다. 마이어는 그때부터 이 아스케트를 통해 더욱 경이로운 지식과 광대한 인식을 습득하게 되었다. 그뿐만이 아니라 마이어는 이 아스케트에 의해 바깥 우주여행과 시간여행을 안내받게 되며, 특히 영적인 교의(敎義)를 배웠다고 한다. 그후 마이어는 세 번째 외계 여성사자의 방문을 받았다. 이 세 번째 외계 신령은 플레이아데스(Pleiades) 성단(星團)에서 왔으며 자기의 이름을 '셈야제'라고 했다. 마이어는 그로부터 현재에 이르기까지 2백 회 이상 접촉을 계속하고 있다고 한다. 접촉은 직접적인 '인터뷰'[59]와 텔레파시에 의한 인터뷰로 실시되었다. 접촉의 주요 상대는 셈야제였는데, 다른 외계 신령들과의 인터뷰도 이루어졌다. 그동안 빌리는 이 접촉을 통해 무려 1천 800페이지가 넘는

'컨택트 노트'를 수록하였다고 한다. 마이어에 따르면 외계의 UFO 신령들은 자신의 '노트'를 통해 현재의 인류 문명이 처해 있는 시대적 당위성에 대한 각성을 촉구하고, 이러한 시대에 대처하기 위한 인류의 의식 전환의 필요성과 그 방법을 제시한다는 것이다.

이처럼 샤먼들이나 UFO 접촉자들은 세상의 경계를 넘나들며 자신의 의식지평을 절대자 세계로 확산시킨다.[60] 아마도 세상의 경계는 인간 존재 구조의 가장자리인 것으로 보인다. 신령이나 외계인으로 화신한 존재자들의 영역에 발을 담금으로써 이들이 가질 수 있는 능력을 갖게 된다는 것이다. 이제 UFO 접촉자나 샤먼은 보다 확장된 '보는 눈과 듣는 귀'를 갖게 된다. 절대 세계로부터 부여받은 영력으로 인간 세상에서 치유될 수 없는 '병'을 치유하도록 봉사하거나 위기에 처한 지구를 재난에서 구할 수 있는 우주적 노하우를 부여받게 되는 것이다.

나는 실제로 이들이 병을 치유했다거나 재난에 휩싸인 지구인에게 준 처방전이 효험이 있었는지 아는 바가 없다. 다만 이들이 인간으로서의 실존적 한계를 뛰어넘어 신적인 존재와 합일하고자 하는 간절한 갈망과 욕구가 자신들의 엑스타시 행위에 절절히 묻어나오고 있다는 사실에 주목할 따름이다.

샤먼은 죽지 않는다: 다만 그 이름이 바뀔 따름이다

"UFO학은 우주 시대의 신화학이다. 우리는 천사 대신 외계인을 가지고 있다. 이것은 창조적인 상상력의 작품이다. 이것은 시적이고 존재론적인 기능을 제공한다. 이것은 우리의 미스터리에 대한 갈망의 표현이며, 뭔가 심원한 의미에 대한 우리의 희망을 드러낸다. 올림푸스 산의 신들은 우주의 여행자로 변화되어서, 꿈을 통해서 우리를 새로운 세계로 인도한다." (Paul Kurtz)

UFO 현상 : 샤머니즘과 첨단과학의 만남

인간은 어느 시대에 살건 세상이 갑갑하게 느껴진다. 그래

'원시인과 외계인의 조우'
Attila Boros(UFO 화가).

서 차라리 미지의 세계를 그리기도 한다. 때론 이런 태도가 패배주의자의 현실도피처럼 보일지도 모르지만 이 땅에 산다는 것이 부담스러울 때 하늘을 한번 올려다보는 자유가 있어야 하는 것은 너무나 당연하지 아니한가? 샤머니즘 세계에 의지하여 꼬인 현실을 잊고 싶다. 신령님께 의지하고 싶다는 바람이나 외계인에게 유괴되고 싶다는 바람은 본질적으로 다를 바가 없다. 이 두 종류의 체험 속에는 '불확실한 삶에 대한 새로운 기대감' 내지 '신과의 합일을 원하는 우리들의 인간적 욕구'가 문화적으로 다양하게 표출되고 있다. 이 삶을 초월하고 싶다, 보다 높은 차원으로 올라가고 싶다, 육체를 떨쳐버리고 싶다, 특별한 사명을 위해서 고차원의 존재에 선택되고 싶다. 샤머니즘 세계에서는 신과 하나가 되고 싶어 하는 욕구가 신내림의 욕구로, 현대 첨단과학의 지평에서는 외계인에게 유괴되고 싶다는 욕구로 표현된다. 결국 이 둘은 인간의 실존적 자유로움, 탈존에의 유혹으로 귀결되는 것이다.

지금까지 나는 샤먼 또는 UFO 접촉자가 초기에 겪는 '임사체험', 신내림, UFO 조우 때 겪는 '비행체험', '빛의 체험' 혹은 그 이후 나타나게 되는 '텔레파시, 투시 및 예지체험' 등을 인간의 실존적 상황을 드러내는 계기로 설명하였다. 이러한 사실은 중요한 의미를 내포하고 있다. 그것은 자유로움을 향한 결핍 존재로서의 인간의 실존적 몸부림이 특정한 역사적 계기에 의해 생겨난 것이라기보다 인간 정신의 심층에서 찾아야 한다는 것을 보여준다. 달리 표현하면, 절대 자유, 탈존, 초월에 대한 갈망은 역사나 문화, 사회 구조에 상관없이 인간의 본질적 향수에 속한다. '임사체험' '비행체험' '빛의 체험' '초감각적 지각(ESP : ExtraSensory Perception) 체험' 등에 의해 야기된 존재론적 단절은 초월의 행위를 의미한다. '삶과 죽음의 경계를 넘나드는 심리적 혼돈체험'을 통해, '높이 오름을 통해' '어두운 미로에서 비춰진 한 줄기 밝은 빛을 통해' '초능력을 통해' 변할 수 없는 인간의 실존 상황을 넘어서고자 하는 욕망, 이것이야말로 자유, 초월을 향한 인간의 원초적 향수인 것이다.

UFO 현상은 샤머니즘과 첨단과학의 결합으로서 새로운 형태의 실존적 자유로움을 표출한 것이다. 외계인은 이제 우주 저편에만 있지 않다. 그들은 이미 우리 안에 들어와 있다. 공상과학 소설이나 영화에서부터 외계 문명 관련 서적과 인터넷 웹 사이트에 이르기까지, 그리고 한반도 상공의 숱한 UFO 목격담과 체험담 속에서 우리는 우리의 실존적 자유, 탈존의 매력을 꿈꾸고 있는 것이다. 샤머니즘은 결코 죽지 않는다. 다만 그 이름만 바뀔 따름이다. 이제 우리 나라에도 외계인을 몸주로 모시는 UFO 샤먼이 등장할 날이 머지않았다.

주

1) http://www.cybercomm.be/popcorn1.htm.

2) 최근에는 '유에프오 신학(UFO theology)'(Kurtz, 1997), '유에 프오 인류학(UFO Anthropology)'(Jeb J. Card, 2003)이라는 용 어들도 자주 등장하고 있다.

3) 이 설문은 1997년 6월 15일, 미국의 성인 1024명을 대상으로 이루어졌다. CNN 갤럽은 이 조사가 오차 한계 ±3 포인트의 신뢰도를 갖는다고 한다.(http://www.cnn.com/us/9706/15/ufo.poll/ in-dex.html)

4) IUFOMRC은 UFO의 '추락'(1947년 7월)을 직접 목격했다고 주장하는 이들을 주축으로 1991년 9월 미국의 뉴멕시코 주 Roswell에 설립된 '국제 UFO 박물관과 연구 센터'이다.

5) 1947년 7월 2일, 미국 뉴멕시코 주 로스웰 근처의 올드 조 목 장 주위에 UFO가 추락했으며 이때 비행체 잔해와 외계인 시 체 4구를 미 공군이 인수했다는 사건이다. 당시 군 당국은 추 락한 잔해를 비행접시가 추락했다고 발표했으나 나중에는 기상 관측용 기구였다고 번복하여 발표했다. 그러나 추락한 잔해를 수거 운반했던 제시 마셀(Jesse Marcel) 예비역 대령이 당시 그가 운반한 것은 결코 기상 관측 기구가 아니고 외계 인의 시체였다고 증언하고 있어 아직도 논란의 대상이 되고 있다. 그후 최근(1995)에 로스웰에 추락한 UFO에서 회수된 외계인(?)의 시체를 부검하는 18분짜리 필름이 공개되어 세 인의 주목을 끌었다. 이 필름의 진위는 아직 많은 논란거리 로 남아 있다.

6) http://www.iufomrc.com.

7) http://www.digiserve.com/ufoinfo/를 검색해보라.

8) 이러한 단체는 UFO 현상에 대해 순수한 학문적 목적과 열정 을 가지고 연구하는 경우와는 구별해야 한다.

9) 칼 융(Carl Jung)이 말하는 집단 무의식적 원형(archetype) 개념 과 관계가 있다. 그는 무의식을 개인 무의식과 집단 무의식 으로 나누었다. 집단 무의식은 개인 무의식보다 심층에 있어, 개개인이 개별적 존재로서 생활사적(生活史的)으로 획득한

것이 아니라, 전체로서의 인류의 마음이 그 전체 역사를 통해서 획득한 인류적 무의식이다. 이 집단 무의식은 민족이나 문화 또는 개인적 의식을 초월한 인간의 뇌구조(腦構造)의 동일성에 바탕을 둔다. 이러한 집단 무의식 속에서 신화·전설·예술 등에 되풀이하여 나타나는 모티프가 원형이다.

10) Alcheringa는 '태초의 시간(illud tempus)'을 의미하는 오스트레일리아 원주민의 토속어휘이다.(Duerr, 1983)

11) 피지인들은 낙원의 섬인 Owalu가 대양의 서쪽에 있다고 믿는다.(Sung 1993 : 175)

12) 투카는 피지어인 tu(바로 세운다)와 ka(영원불멸하는 사물)의 합성어이다.(Worsley 1973 : 31)

13) 엔둥구모이의 아버지 또한 생전에 새로운 종교집단을 창시하고자 다각적인 활동을 벌였던 전력이 있다.

14) Worsley(1973 : 32)는 Navosavakandua를 '한 번만 이야기하는 사람(Er, der einmal spricht)'으로 번역하고 있다.

15) Worsley 1973 : 31-32 ; Uplegger & Mühlmann 1961 : 168.

16) Worsley 1973 : 33-34.

17) Worsley 1973 : 33 ; Uplegger & Mühlmann 1961 : 168-169.

18) Burridge 1995 ; Worsley 1973 : 149 ; Uplegger & Mühlmann 1961 : 174.

19) Worsley 1973 : 31 ; Uplegger & Mühlmann 1961 : 169.

20) Worsley 1973 : 35 ; Uplegger & Mühlmann 1961 : 169-170.

21) Worsley 1973 : 36 ; Uplegger & Mühlmann 1961 : 170.

22) Worsley 1973 : 149-151 ; Uplegger & Mühlmann 1961 : 174-175.

23) Harcombe & O'Byrne 1995 : 154-156 ; Lindstrom 1993 : 73-77.

24) Worsley 1973 : 264.

25) 이 물병자리는 물항아리를 상징하는데, 여기서 물은 삶, 풍족함, 안녕을 의미한다.(Aveni 1996) '그랑 블루'라는 영화가 물의 이러한 의미를 잘 표현하고 있다.

26) Eliade 1990 : 138-139.

27) 위의 책 : 138-139에서 부분적 인용과 참조.

28) 빌리 마이어는 플레이아데스 성단에 있는 행성 에라(Erra)를 유토피아로 보고 있으며, 하워드 맨저는 금성을 유토피아로

언급한다. 그 외의 UFO 숭배자들도 제각기 지구 대기권 밖
의 특정 행성을 외계인들의 기원지, 즉 낙원의 세계로 지목
한다.

29) Eliade 1962a, 1962b.

30) http://www.billymeier.com.

31) http://www.billymeier.com.

32) Winters 1997 : 89-106.

33) Rael 1988 : 29 ; http://www.rael.fr/dmessag1.html ; http://www.rael.fr/dmessag2.html ; http://www.rael.fr/dmessag3.html.

34) Rael 1987 : 85-101.

35) Rael 1987 : 102-106, 1988 : 229.

36) 랜돌프 윈터즈는 빌리 마이어의 '컨택트 노트(Contact Note)'를 바탕으로 저술한『플레이아데스의 사명 *The Pleiadian Mission*』으로 세인의 주목을 받은 미국의 대표적인 UFO 운동가이다. 최근 빌리 마이어는 랜돌프 윈터즈가 자신의 '컨택트 노트' 자료와 체험담을 크게 손상시키고 있다고 공개적으로 비난하고 있다.(http://www.billymeier.com)

37) Winters 1997 : 352-353, 360.

38) Winters 1997 : 131.

39) 서종한 1996 : 289, 301-302.

40) Winters 1997 : 224-269.

41) Rael 1988 : 241 ; http://www.rael.fr/dmessag4.html. 2003년 4월 풍수지리 연구가 최 모 씨가 라엘리언 무브먼트의 엘로힘 대사관 부지로 비무장지대(DMZ)에 근접한 땅(최소 5만 평에서 최대 10만 평)을 내놓겠다고 제안했다고 한다. 그동안 라엘리언은 예루살렘을 필두로 한국 DMZ 등에 엘로힘 대사관 건립을 강력하게 희망하고 있었다.

42) Rael 1988 : 190.

43) http://www.rael.org/int/korean/embassy/plan/body_plan.html.

44) 이 외계인 대사관 완성을 위해 약 30만 평의 대지(잠실 주경기장 8배)에 1백 80억 원 정도의 자금이 소요된다고 한다.(서종한 1996 : 343)

45) 서종한 1996 : 341.

46) 위의 책 : 344.

47) B. Wilson은 「천년왕국의 비전」(1976)이라는 논고에서 이러한 천년왕국운동의 '증상' 6가지를 제시하였다. (1) 이 세상은 구제할 수 없을 정도로 악하다. (2) 전체적인 변혁이 필요하다. (3) 인간은 이 변혁을 행하는 것이 불가능하다. 변혁은 초자연적 존재에 의해 달성된다. (4) 이 세상의 종말은 불가피하며, 운명지어진 것이고, 절박한 것이다. (5) 새로운 질서가 확립되면 그 안에서 신자는 가장 우월한 지위를 얻지만 적(및 인류의 대다수)에게는 어떠한 자리도 주어지지 않는다. (6) 이 진리를 알고 있는 자는 그것에 대한 신앙을 공표하여 다가올 변혁에 대비하지 않으면 안 된다.(미이시 젠키치 1993 : 37)

48) 인터넷 사이트인 www.aufora.org, 1997년 5월 13일자 뉴스란에 게재되어 있음.

49) 노스트라다무스의 예언서 중에서.

50) 내가 여기서 '절대자'라고 표현했을 때, 특정 종교의 신을 지칭하는 것은 아니다. 무신론자 천문학자에게는 단순히 우주일 수도 있고, 유신론자들에게는 자신들이 믿는 신을 의미할 수 있다.

51) 엑스타시를 나타내는 독일어 Ekstase는 'ek(벗어난)'와 'stase(상태)'의 합성어로서 실존과 탈존의 의미를 동시에 함축한 단어 Existenz와 밀접한 관련을 가지고 있다.

52) 이 현상은 흔히들 '신내림'이라고 부르는 경우로 한 사람의 육체에 둘 또는 그 이상의 영이 존재하여 그것이 육체를 지배하는 것을 말한다. 이 경우 빙의가 된 사람은 평상시와는 다른 성격을 나타내며 경우에 따라서는 환청이 들리고 투시나 예지 등의 특수한 능력이 생기기도 한다.

53) 여기서 반드시 짚고 넘어가야 하는 사실은 이 엑스타시 기술의 진위 여부는 종교인들이 따져야 할 문제이고, 본인은 단지 인간의 실존적 몸부림을 샤머니즘이나 UFO 용어를 빌어 설명한다는 점이다.

54) 초심리학자(parapsychologist)에 따르면 초감각적 지각(ESP)은 사람이 오감을 사용하지 않고 정보를 얻는 능력이다. 초감각적 지각에는 텔레파시, 투시, 예지의 세 종류가 있다. 텔레파시는 마음으로 다른 사람의 마음으로부터 정보를 획득하는

능력이고 투시는 마음으로 멀리 떨어진 곳의 물체나 사건에 관한 정보를 수집하는 능력인데 이 둘은 실시간으로 일어난다고 한다. 정보의 발생과 획득이 거의 동시에 이루어진다는 뜻이다. 그러나 예지는 미래의 사건에 관한 정보를 사전에 인지하는 능력이며, 이는 특정의 사건을 알게 되고, 투시와 유사한 동시에 타인의 정서를 경험하므로 텔레파시처럼 보이기도 한다고 한다.

55) 이러한 현상을 두고 통상적으로 "신들렸다"는 말을 한다. 이때의 '신(神)'은 다름 아닌 한국무(巫)의 신령들이다. 신령을 가리켜 흔히 부정적 어감이 들어 있는 귀신이라는 말로 부르나 이는 신령과 그 세계를 타종교에서 부정적으로 인식한 데서 비롯한다. 무업(巫業)에 종사하는 이들은 귀신이란 표현을 쓰지 않으니, 그들의 표현을 존중하여 우리도 역시 신령이라 칭함이 좋겠다.

56) Neihardt 2000 : 211-212.

57) 독일의 종교철학자 루돌프 오토가 1917년 그의 저서 『성(聖)스러움의 의미 Das Heilige』에서 라틴어 numen을 형용사화하여 새롭게 만든 종교철학 용어이다.

58) 이는 신령이 시대와 지역에 따라 종류와 성격을 달리하며, 또 외부와의 접촉으로 이전에 없던 신령이 들어와 새로운 신령으로 섬겨지기도 하기 때문이다.

59) '인터뷰(Interview)'를 우리말로 번역하지 않은 이유는 인터뷰라는 말 자체가 신과의 단순한 종속적인 관계에서 탈피한 서구적 뉘앙스, 즉 인본주의적 느낌을 살리기 위해서이다. 무속 언어로 굳이 표현해본다면 신탁 또는 공수라고 나타낼 수 있다. 내림굿에서 말문을 연다는 것은 신의 말을 한다는 뜻이다. 이것을 신탁(神託) 또는 공수라 한다. 신탁은 한문이고 공수는 우리 나라 말이다. 이 어휘는 다분히 신(神)중심적인 어감을 주는 것이지만 신과의 만남이라는 유형적인 면에서 서구의 '인터뷰'와 다르지 않다.

60) 위에 언급한 샤먼이나 UFO 조우자들이 절대자의 세계를 실제로 체험했는지 아니면 체험한 척한 것인지 분별해내는 일은 이 글의 의도가 아니다. 다만 '당사자들의 입장(native view)'에 서서 '그래, 그들이 실제 초월 영역을 체험했다고 치

자' 정도로만 이해하면 된다. 무엇보다도 중요한 것은 당사자들의 실존적 욕구, 신과 합일하고자 하는 갈망이 어떻게 표출되고 있느냐에 주목할 필요가 있다.

참고문헌

김태곤,『무속과 영의 세계』, 한울, 1993.

미이시 젠키치, 최진규 옮김,『중국의 천년왕국』, 고려원, 1993.

박원길,『유라시아 초원제국의 샤머니즘』, 민속원, 2001.

서정범,『신은 사람의 마음이다』, 우석출판사, 2002.

서종한,『UFO를 만난 사람들』, 넥서스, 1996.

조흥윤,『한국의 샤머니즘 - 한국의 탐구 4』, 서울대학교출판부, 1999.

조흥윤,『한국종교문화론』, 동문선, 2002.

최길성,『새로 쓴 한국무속』, 아세아문화사, 1999.

　　　　『한국무속학 - 제5집』, 한국무속학회, 2002.

황루시,『황루시의 우리 무당 이야기』, 풀빛, 2000.

Adcock, W., *Schamanismus : Kraftorte, Rituale, Seelenreisen*, Marburg : Urania Neuh./KNO, 2002.

Aveni, A., *Behind the Crystal Ball : Magic, Science, and the Occult from Antiquity Through the New Age*, Westminster : Random House, 1996.

van Baal, J., *Symbols for Communication*, Assen : Van Gorcum, 1971.

van Baal, J., "The Language of Symbols", Baer, G. & Centlivres, P.(eds.), *Ethnologie im Dialog*, Fribourg : Editions Universitaires Fribourg, pp.67-80, 1980.

van Baal, J., *Man's Quest for Partnership*, Assen : Van Gorcum, 1981.

Barley, N., The *Innocent Anthropologist-Notes from a Mud Hut*, New York : Penguin Books, 1986.

Burridge, K., *Mambu: A Melanesian Millennium*, Princeton : Princeton University Press, 1995.

Card, Jeb J., "UFO Anthropology : Cultural and social outlook on belief in and investigation of the UFO phenomenon", http://studentweb.

tulane.edu/~jcard, 2003.

Clark, J., *The UFO Book. Encyclopedia of the Extraterrestrial*. Detroit/ London : Visible Ink Press, 1998.

Davies, P., *The God and modern physics*, New York : Simon & Schuster, 1983.

Duerr, H.P.(ed.), *alcheringa oder die beginnende Zeit*, Frankfurt am Main: Qumran, 1983.

Eliade, M., "Die Amerikaner in Ozeanien und der eschatologische Nacktkult", *Antaios*, 3 : 1962a, pp.201⁻214.

Eliade, M., "'Cargo-Cults' and Cosmic Regeneration", Thrupp, S. L.(ed.), *Millennial Dreams in Action*, The Hague : Mouton, 1962b, pp.139⁻143.

Eliade, M., *Schmanismus und archaische Ekstasetechnik*, Frankfurt am Main : Suhrkamp, 1975.

Eliade, M., 박규태 옮김, 『종교의 의미 : 물음과 답변』, 서광사, 1990.

Elsensohn, S., *Schamanismus und Traum*, Frankfurt am Main : Hugendubel Kreuzlingen/VVA, 2000.

Feynman, R., *Surely You're Joking, Mr. Feynman*, New York : W. W. Norton & Co., 1985.

Frenschkowski, M. "L. Ron Hubbard and Scientology : An Annotated Bibliographical Survey of Primary and Selected Secondary Literature", *Marburg Journal of Religion* 4:1. Internet : "www.uni-marburg.de/fb03 religionswissenschaft/journal/mjr/frenschkowski.html", 1999.

Gagan, J. M., *Reisen zum Selbst : Wo Schamanismus und Psychologie sich Begegnen*, Hamburg : dtv/KND, 2000.

Gehlen, A., *Der Mensch. Seine Natur und seine Stellung in der Welt*, Stuttgart : UTB, 1997.

Harner, M., *Der Weg des Schamanen : Das Praktische Grundlagenwerk zum Schamanismus*, Bielefeld : Ludwig, W/VVA, 2002.

Harcombe, D. & O'Byrne, D., *Lonely Planet Vanuatu*, Oakland : Lonely

Planet Publication, 1995.

Harris, M., 박종렬 옮김, 『문화의 수수께끼』, 한길사, 1994.

Hawker, G. A., *Morning Glory : Diary of an Alien Abductee*, La Vergne : Lightning Source Inc., 2001.

Jacobs, D. M.(ed.), *Ufos and Abductions : Challenging the Borders of Knowledge*, Kansas : Univ. Pr of Kansas, 2000.

Kalweit, H., *Die Welt der Schamanen*, Frankfurt am Main : Scherz Verlag, 1984.

Kurtz, P., "Space-age religions : Astrology and UFOlogy", *The transcendental Temptation*, New York : Prometheus Books, pp.418~446, 1991.

Kurtz, P., "UFO Mythology : The Escape to Oblivion", *http://www.csicop.org/si/9707/cult.html*, 1997.

Kurtz, P., *Skepticism and Humanism : The New Paradigm*, Somerset : Transaction Pub, 2001.

Lawrence, P., *Road Belong Cargo : A Study of the Cargo Movement in the Southern Madang District, New Guinea*, Waveland : Waveland Pr., 1989.

Lindstrom, L., *Cargo Cult : Strange Stories of Desire from Melanesia and beyond*, Hawaii : University of Hawaii Press, 1993.

Lommel, A., "Der 'Cargo-Kult' in Melanesien", *Zeitschrift für Ethnologie* 78 : 17~63, 1953.

Mead, M., *New Lives for Old : Cultural Transformation*, Westport : Greenwood Press, 1980.

Neihardt, J. G., B*lack Elk Speaks : Being the Life Story of a Holy Man of the Oglala Sioux*, New York : Twenty-First Century Edition, 2000.

Ness, A., *The Real Truth about Alien Abductions*, La Vergne : Lightning Source Inc., 2002.

Pinchbeck, D., *Breaking Open the Head : A Psychedelic Journey into the Heart of Contemporary Shamanism*, New York : Broadway Books, 2002.

Rael, C. V., 배귀숙 옮김, 『眞實의 書』, 도서출판 메신저, 1988.

Rael, C. V., *Let's Welcome our Fathers from Space : They Created Humanity in their Laboratory*, AOM Corporation, 1987.

Rysdyk, E. C., *Modern Shamanic Living : New Explorations of an Ancient Path*, York Beach : Red Wheel/Weiser, 1999.

Sagan, C., *Broca's Brain*, New York : Ballentine Books, 1979.

Segel, R. A., "Eliade's Theory of Millenarianism", *Religious Studies*, 14 : 150-175, 1978.

Sung, S.-J., *Ethnologie im 'doppelten' Verstehen: Zur Grundlegung einer ethnologischen Hermeneutik mit dem ethnographischen Material der Vitianer*, Frankfurt am Main u.a. : Peter Lang, 1993.

Thomas, M., *Terra im Umbruch*, Gelnhausen : TRIGA, 2001.

Trompf, G. W.(ed.), *Cargo Cults and Millenarian Movements: Transoceanic Comparisons of New Religious Movements*, Berlin : Mouton De Gruyter, 1990.

Uplegger, H. & Mühlmann, W. E., "Die Cargo-Kulte in Neuguinea und Insel-Melanesien", Mühlmann, W. E.(ed.), *Chiliasmus und Nativismus*, Berlin : Reimer, pp.165-189, 1961.

Whitehouse, H., *Inside the Cult. Religious Innovation and Transmission in Papua New Guinea*, Oxford : Clarendon Pr., 1995.

Winters, R., 김경진 옮김, 『플레이아데스의 사명』, 대원출판, 1997.

Worsley, P. M., *Die Posaune wird erschallen: "Cargo" -Kulte in Melanesien*, Frankfurt am Main : Suhrkamp, 1973.

Yeats, W. B., The *Variorum Edition of the Poems*, New York : Macmillan, 1968.

인터넷 참고 자료

빌리 마이어 : http://www.billymeier.com

천국의 문(Heaven's Gate) :

    1. http://www.heavensgate.com

2. http://www.aufora.org/, 1997년 5월 13일자 뉴스.

클로드 보리롱 라엘 :

　　1. http://www.rael.fr/deutsch.html

　　2. http://www.rael.fr/dmessag1.html

　　3. http://www.rael.fr/dmessag2.html

　　4. http://www.rael.fr/dmessag3.html

　　5. http://www.rael.fr/dmessag4.html

　　6. http://www.rael.org/int/korean/embassy/plan/body_plan.html

CNN에 의한 UFO 설문조사 :

　　http://www.cnn.com/us/9706/15/ufo.poll/index.html

F. Popcorn의 "Cocooning" 개념 :

　　http://www.cybercomm.be/popcorn1.htm

Roswell 비행접시 '추락' 50주년 문화행사 :

　　http://www.iufomrc.com/

UFO 관련 '문화상품' : http://www.digiserve.com/ufoinfo

UFO학 인류학과의 조우

초판발행 2003년 9월 30일 | 2쇄발행 2007년 2월 15일
지은이 성시정
펴낸이 심만수 | 펴낸곳 (주)살림출판사
출판등록 1989년 11월 1일 제9-210호

주소 413-756 경기도 파주시 교하읍 문발리 파주출판도시 522-2
전화번호 영업·(031)955-1350   기획편집·(031)955-1357
팩스 (031)955-1355
이메일 salleem@chol.com
홈페이지 http://www.sallimbooks.com

ISBN 89-522-0137-X 04290
       89-522-0096-9 04080 (세트)

값 9,800원